Оксана Робски

GLAMУРНЫЙ ДОМ

ОЛМА
МЕДИАГРУПП
Москва 2006

Оксана Робски

GLAMУРНЫЙ ДОМ

УДК 747
ББК 85.128
Р 58

Исключительное право публикации книги О. Робски «GLAMУРНЫЙ ДОМ»
принадлежит ЗАО «ОЛМА Медиа Групп».
Выпуск произведения без разрешения издателя
считается противоправным и преследуется по закону.

Подбор иллюстраций, компьютерная верстка и оформление: Эжен-Поль Кашен
Фотосъемка: Владимир Вяткин, Ксения Филиппова
Рисунки: Анна Виноградова

Издательство благодарит ООО «Дизайн студию МилАниум»
и руководителя мастерской Милу Ставицкую
за предоставление интерьеров для съемок.

Р 58   Робски О.
GLAMУРНЫЙ ДОМ. — М.: ОЛМА Медиа Групп, 2006. — 240 с.: ил. —(INTEРЬЕР & DEKOP).
ISBN 5–373–00710–2

Одна из самых популярных жительниц Рублевки открывает перед вами двери своего дома и домов своих знаменитых друзей, уникальных и сугубо индивидуальных по стилю.
Интерьеры, собранные в книге, советы их хозяев и профессиональных декораторов помогут вам найти собственное видение идеального жилища и создать роскошную атмосферу гламурного дома.
Для широкого круга читателей.

УДК 747
ББК 85.128

ISBN 5–373–00710–2

Оглавление

ГОСТИНАЯ

Воплощение стиля

Если театр начинается с вешалки, то дом начинается с гостиной. Любой гость попадает сначала сюда, и уже потом – в кабинет или спальню. Зависит от того, кто и зачем пришел в дом. Гостиная – это первое представление, поэтому любая мелочь бросается в глаза. Кто может прийти сюда? Да кто угодно: от электрика до банкира. Впечатление должно быть и у того, и у другого. О себе тоже забывать не стоит. Изначально гостиная – общая комната, место для приема гостей и семейных сборов. Здесь должно быть уютно, комфортно и удобно. Немного интима не повредит, но это не обязательно. Непременная черта гостиной – шарм, присущий только этому месту. Запоминаемость. Плюс отсутствие раздражителей. При наличии вкуса этого эффекта добиться легко.

Начнем с второстепенных окон. Отсюда идет дневной свет, который должен освещать те детали, которые должны быть видны днем. Вот так просто. Рассеянные солнечные лучи проходят сквозь плетеный диван, игра тени и света на полу создает впечатление прохладного летнего утра и покоя. Эффект усиливает легкость ткани занавесок. Светлое и прозрачное пропускает свет. Элегантная простота. Штора натянута, карниза нет (его просто не видно), ассоциации с больничной стерильностью тоже нет. Почему? Детали. Простота и строгость линий плюс декоративный элемент: прихват для шторы – довольно массивная (но не слишком) мягкая кисть.

Цветовой контраст

По цвету выделяется не слишком, но строгость сглаживается, появляются восточные мотивы. Индия, Китай... Восток, как известно, – дело тонкое. То, что не может быть в тени, должно быть там, где свет. Свет должен играть.

Здесь возможен элемент неожиданности. Вход в гостиную оформлен портьерой из пышной лиловой тафты. Ткань покачивается, переливается складками, отражая искусственный свет. Вот такой налет интимного флера. А за портьерой, как сказал классик, много воздуха и тишина. Тень и свет, игра контрастов. А то, что расположено в досягаемости дневного света, исключает

Портьерный шлейф — одежда для входа

Эклектика как искусство сочетания стилей

интимность. Но некоторые детали делают намек на приватность: белый мех на ступенях, декорации из перьев, брошенная на диван подушечка. Опять-таки направление на Восток. Декоративные подушки, несмотря на отсутствие практического значения, в оформлении гостиной все-таки важны. Их может быть сколько угодно и они никому не помешают. Подруга может вольготно развалиться на них с бокалом «божоле», а гость «с официальным визитом» разглядывать их в ожидании кофе. Причудливые пуговицы, контрастная сетка, гарусная отделка, вышивка, шелковые кисти. В сочетании со строгими линиями однотонной мебели такие подушки не оставят равнодушным никого.

И еще немного об освещении. Основное окно. Разумеется, его оформление не должно идти вразрез с общим стилем. Эффект «Восток – Запад» может быть с успехом применен и здесь. Жесткий светлый ламбрекен с контрастной отделкой натянут на

Поглощение света тенью

невидимую струну. Никакой помпезности и обилия ткани, только мягкие складки штор по бокам. Ламбрекен, разумеется, по форме окна. Ассоциативный ряд – лондонская консервативность, белый чепчик Джейн Эйр, и тому подобное. Запад. А поверх этой консервативности и простоты – карниз с продетыми сквозь него кольцами легких штор, чья прозрачность и легкая

Удобный элемент декора

Приятные мелочи в выгодном свете

драпируемость уводит южнее. И, наконец, тонкие штрихи рисунка наводят на мысли о японских гравюрах. Просто и изящно.

Есть и еще один восточный элемент декора на пороге моды, но не широко известный (это, кстати, только на руку). Занавески не из текстиля, а из прозрачных цветных бусин. Таким призрачным пологом можно отделить от остальной части гостиной любимый диван. Приятное мелодичное позвякивание бусин и обилие все тех же декоративных подушек. Зона отдыха, приватности и удивления тех, кто впервые увидел это чудо. Нитки бус можно оставить

висеть ровными рядами, а можно завязывать как угодно или плести из них замысловатые косы – по настроению. В одном китайском фильме, снятом по древней легенде, такой занавес бесстрашная девушка-воин ритмично задевала мечом в боевой схватке. Горный хрусталь бусин создавал неповторимую мелодию. Да, и такое возможно.

Деление гостиной на зоны – вообще здравая мысль. Не столько практически, сколько из дизайнерских соображений. Так можно воплотить гораздо больше фантазий, чем в полностью открытом про-

Сочетание естественного и искусственного освещения

странстве. Каждый уголок можно оформить немного иначе. Переходя от света к тени, от Востока к Западу. Светлый диван у лестницы, покрытой мехом, – для одних целей, темный, выложенный декоративными подушками, – для других. Очень удобно, и глаз не «замыливается» однообразием.

На самом деле, самая важная часть оформления – удобство. Когда можно раздвинуть шторы, не вставая с кресла, – просто нажать на пульт; когда не натыкаешься на мебель, расставленную неправильно; когда можно уйти из света в тень и наоборот; когда можно в задумчивости лежать на диване, покачивая ногой, и слушать приятно звенящие бусы полога.

Существует утверждение о том, что «все новое – всего лишь хорошо забытое старое». Универсальная фраза, но все же грешит против истины, как любое обобщение. К примеру, профессиональная деятельность под названием «дизайн» стала известна впервые только в XIX веке. Дизайн как таковой стал вос-

«Плесните колдовства...»

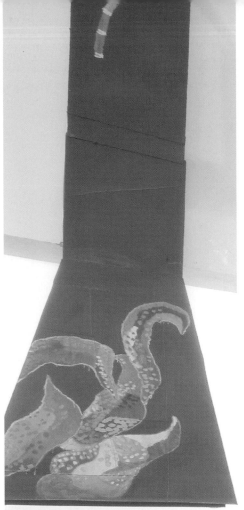

требован из-за исторически сложившихся условий. Расширение промышленного производства постепенно вытесняло традиционное ремесло. Те нужные и не очень нужные (но, возможно, милые сердцу) вещи и вещички стали доступны многим. Появилась возможность пойти и купить понравившуюся вещь сразу, не тратя драгоценное время на обращение к частному мастеру, чей труд стоит гораздо дороже промышленного изделия. Прогресс? Безусловно. А вот хорошо это или плохо, судите сами. Результат промышленного производства перестал быть — да и никогда не был — авторским произведением искусства, он стал «товаром», «продуктом» и «изделием». Потерялась одухотворенность авторского творения, но «товара» стало много. Нельзя сказать однозначно, хорошо это или плохо, но появление так называемого ширпотреба — свершившийся факт, и нам приходится с этим мириться вот уже почти два столетия.

Изначально в среде дизайнеров считалось, что определенному функциональному смыслу предмета соответствует только одна, наиболее рациональная форма, которая и должна быть найдена дизайнером. И только в

На стыке времен

Приватный уголок гостиной

этом смысл и цель деятельности дизайнера. Но тут опять вмешались исторические события, и эта точка зрения подверглась основательной коррекции. Великая депрессия 30-х годов в США стала толчком к развитию дизайна, уточню, промышленного дизайна. Обострившаяся конкуренция заставила обратить внимание производителей на внешний

Турецкое слово — диван

вид и упаковку изделий. Постепенно профессия дизайнера переросла проектирование отдельных предметов потребления и занялась построением отношений между человеком, оторванным от живой природы, и миром неодушевленных вещей и предметов. Дизайнер стал организатором окружающего пространства. Вот тут и проявил себя так называемый экспрессивный, иначе – «концептуальный» или «аллегорический» дизайн, который своим основным приемом использует разнообразие стилизаций. Этот прием еще называют «стайлинг».

Стайлинг – это способ организации пространства, когда внешняя форма достаточно независима от функции, конструкции, технологических свойств материалов. Здесь главное – соответствие определенному стилю, образу, а возможно и придание предметам несвойственных им форм.

Стилизация в современном дизайне общепринята и распространена. Дизайнеры интерьера используют ее очень часто. А поскольку, как известно, главная задача дизайнера по текстилю – удачно вписаться в уже созданный интерьер, то хорошо ориентироваться в стилях – это одно

Игра со светом

Сочетание линий

из самых необходимых условий успешной деятельности в этой сфере. Именно этот факт заявляет о необходимости хорошо знать историю стилей применительно к шторным моделям и цветовым предпочтениям той или иной эпохи.

Вот с этой точки зрения можно рассмотреть основные признаки стилей и направлений. Начнем, как водится, с классицизма. Классицизм – это, прежде всего, строгие, простые формы, утонченность деталей. Простота и строгость форм компенсируются изяществом линий

Стиль в фактуре тканей

Освещение в деталях

и цветовых воплощений. Рисунки и цвет штор, обивка мебели и настенных драпировок доводились во времена господства этого стиля до совершенной гармонии. Поскольку классицизм в последующие времена несколько раз возрождался с необыкновенной силой в разных уголках планеты в разное время, нельзя исключать его повторения и в наши дни. Более того, к этому нужно быть готовыми всегда, так как и в современной России

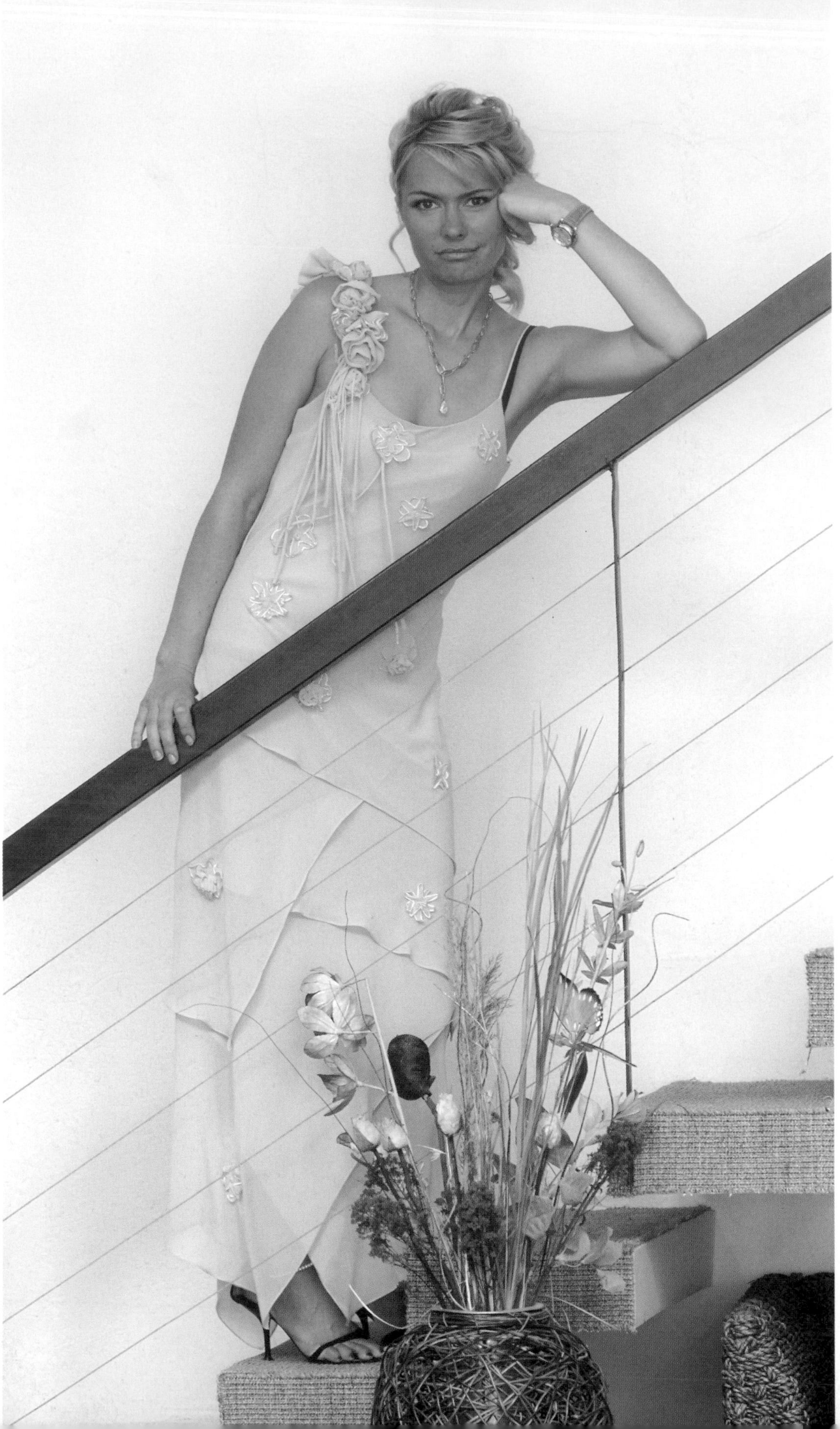

есть масса поклонников «старого доброго классицизма», да и мода, как известно, движется по спирали и в своем движении возвращается к старому, лишь слегка видоизменившись. В классицизме преимущественно используются светлые пастельные тона, мягкие романтичные складки, пластичные, легко драпирующиеся тяжелые ткани.

Готика – изначально не интерьерный, а архитектурный стиль. Но современные дизайнеры интерьера весьма активно стилизуют готические интерьеры. Стрельчатые окна, угловатость, отсутствие мягких складок драпировки, некоторая мрачность и варварство стиля делают его не самым интересным с точки зрения шторного дизайна. Потягаться с готикой в подобной непривлекательности может только романский стиль, имитирующий средневековую цитадель с ее брутальностью и постоянной готовностью к осаде и послевоенному восстановлению разрушенного хозяйства.

Секрет уюта

С середины XVI века возникает в Италии и стремительно распространяется за ее пределы стиль под названием барокко. Он отличается декоративной пышностью, сложными формами и исключительной живописностью. В моделях штор используют сложные формы с множеством ярких деталей.

А в начале XVIII века рождается причудливый и декоративный стиль рококо. Он отличается особой характерной ассиметричной орнаментацией и изяществом форм. В 20-х годах XIX столетия этот стиль возродился с новой силой, имея название «нео-рококо». Этому способствовало открытие для Европы национальных индийских тканей и надоевший пафос ампира.

Ампир — от французского «империя». Стиль, возникший во Франции, во время правления императора Наполеона I. Для ампира характерны строгие монументальные формы, симметрия и уравновешенность, а также обращение к древнеримским традициям оформления интерьера, дословное «списывание» форм, рисунков тканей, драпировок с древнеримских образцов, и при этом — непременный театральный пафос.

Восток — Запад

Но с падением французской империи Европа признает нео-рококо и уютный, комфортный буржуазный стиль – бидермеер. Простота форм компенсируется яркими расцветками тканей. Полосатый репс в обивках мебели сочетается с ситцевыми, в миленький цветочек, занавесочками с рюшками. Это один из самых благодарных стилей для любого драпировщика.

Наиболее интересным с точки зрения многообразия стилей является век двадцатый. Еще с конца XIX века в Европе начались эксперименты

по искусственному совмещению разных стилей в пределах одного помещения. Эти эксперименты получили название «эклектика» и продолжаются поныне.

В современном дизайне эклектика достигла своего апогея в мультикультурном, мультирелигиозном, все смешивающем направлении – фьюжн.

Тогда же, в конце XIX века, начинает формироваться многообразное и сложное художественное направление – модернизм. В пределах этого движения возникают и цветут буйным цветом такие стили, как модерн, экспрессионизм, символизм,

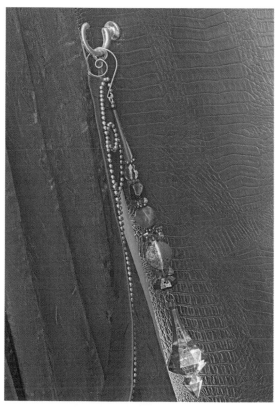

Нескучные штучки

кубизм, арт-деко, брутализм и прочие. Для модернизма характерны поиски новых форм, отрицание эстетики исторических стилей.

Из искусства модерна берет свои истоки и авангардизм. Авангардизм — обобщенное название новейших экспериментальных течений, школ, концепций, преследующих цели создания нового искусства, не имеющего связей со старым. Это тенденция отрицания историче-

Воспринимать словосочетание «шторы как искусство» в качестве художественного вымысла или гиперболы, которая позволяет уяснить суть, просто сильно преувеличивая, было бы неверно. Изготовление тканевых драпировок — самое настоящее искусство и есть. Пусть и прикладное: и на него распространяются все законы искусства, в том числе и законы композиции.

ских традиций, преемственности, экспериментальный поиск новых форм и путей в искусстве. Во всех основных течениях авангарда начала XX века — футуризме, сюрреализме, дадаизме, поп-арте — происходило последовательное отвлечение процесса формообразования от духовного смысла искусства. Эти основные направления развития заложили основы возникновения новых стилей на ближайшее столетие и до наших дней.

Есть хорошее определение: «Композиция — это разумное основание живописания, благодаря которому части видимых вещей складываются вместе в картину». А что такое шторы, как не некая условная картина? Совершенно неоспоримо, что и шторы, и плоскость стены, на которой шторы располагаются, и весь интерьер в целом — это объем-

Шторный ансамбль в разном свете

Подробности мозаики интерьера

ное изображение, подлежащее действию все тех же законов, которые и великие, и не очень известные художники выводили, выверяли, формулировали на протяжении многих веков. Так не будет ли полезно знать готовые, вполне определенные критерии гармонии, чтобы воспользоваться ими в шторном творчестве?

Конечно, никакими правилами нельзя заменить художественные способности и творческую одаренность. Талантливые декораторы находят правильные композиционные решения интуитивно, но для развития дара композиции нужно изучать теорию и осознанно работать над ее практической реализацией.

В композиции важно все: «масса» элементов, их зрительный «вес», размещение на плоскости, выразительность абрисов, ритмические чередования линий и пятен, цвет и колорит, «форматы», то есть размеры объекта в целом и его отдельных элементов, и все это – во множестве вариантов, с различных возможных точек зрения в пространстве.

При свечах

Каковы же основные закономерности построения любого художественного произведения?

Контраст. Еще Леонардо да Винчи говорил о необходимости использовать контрасты величин (высокого с низким, большого с маленьким, толстого с тонким), фактур, материалов, объема. Также широко используются в создании любого художественного произведения, в том числе и драпировок, тональный и световой контрасты. Светлый объект лучше заметен, выглядит выразительнее на темном фоне, а темный – на светлом.

Цельность. Нужно стремиться к цельности композиции. Для этого следует отказываться от перегруженности шторной модели многочисленными деталями. Нужно уметь выделять главное. Недопустимо, чтобы в глаза сразу бросалась некая деталь, частность, вместо того, чтобы первый взгляд охватывал всю композицию целиком, удовлетворялся, и тогда уже начинал отмечать подробности. Каждая деталь должна развивать общий замысел, восприниматься как необходимая, ее применение должно быть чем-то вызвано, обосновано. Существуют и такие композиционные правила, как динамика (передача движения) и статика (покой). Речь идет о том, что средствами шторной композиции можно сообщить интерьеру динамичность (это неплохо, например, для офиса) или покой, весьма уместный в частном жилище, где он больше всего нужен людям.

Ритм. Чередование каких-либо элементов в определенной последовательности является ритмом. Ритм может быть задан линиями, пятнами цвета, чередованием элементов раппорта, контрастом объемов. Ритм всегда подразумевает движение. В искусстве возможен ритм неровный, с перебоями, с акцентами, не равномерный, а живой и разнообразный. Ритм может быть активный, порывистый, спокойный, замедленный.

Линии. Если в шторной композиции присутствуют диагональные линии, она будет производить ощущение динамичности. С другой стороны, если присутствует большое количество вертикальных или горизонтальных линий, это как бы тормозит некое условное движение. Отсутствие диагональных направлений, симметричность, уравновешенность композиции передают ощущение покоя.

Золотое сечение. Нужно знать и о правиле «золотого сечения» (иначе, «одной трети»). Глазу приятно выделение одной трети. В шторах это можно применять, например, деля полотно вставками, или располагая подхваты на одной трети высоты от пола. Творческое развитие метода всегда остается за художником.

Симметрия. Когда плоскость штор зеркально отображается относительно центральной оси симметрии, – это всегда беспроигрышно. Если производится художественный изыск, и создается ассиметричная модель штор, она должна быть зрительно уравновешена на плоскости стены наличием картины или даже наличием предмета мебели с той стороны, где имеется пустота. Здесь надо учитывать зрительный вес. Например, большое цветовое пятно уравновешивается маленьким темным; несколько маленьких пятен можно сбалансировать одним большим. Вариантов может быть великое множество: части композиции уравновешиваются по массе, объему, цвету, тону, фактуре и так далее.

В создании интерьера всегда необходимо помнить известное высказывание: свобода творчества и подлинное мастерство приходят на основе точного знания.

Дэвид Льюис

Пусть гостиная комната будет романтичной и практичной одновременно. Наша задача — выбрать приятное и удобное из большого количества вариантов и отказаться от всего остального. В XXI веке это трудно, потому что дизайнерских предложений в избытке. Не становитесь жертвой моды. Всеми силами старайтесь не идти в общем направлении, а вместо этого прислушивайтесь к себе.

СТОЛОВАЯ-КУХНЯ

Уютные традиции

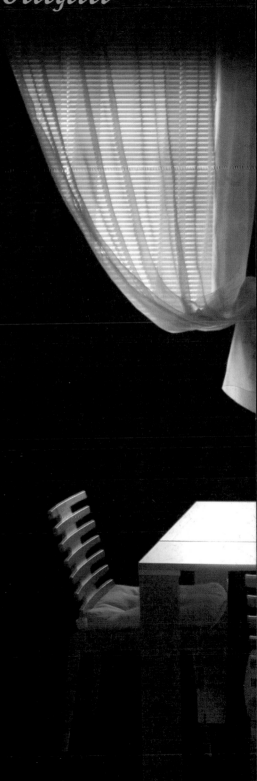

Почему-то принято считать изначально московской традицией — принимать гостей на кухне. Почему? Кто знает... Возможно, причина банальна: из-за неуемной тяги к курению московской интеллигенции. Насколько эстетична такая традиция, зависит от хозяев дома, но вот удобна, — с этим не поспоришь.

Вместо того чтобы преодолевать расстояния от кухни до столовой, гремя подносами со снедью, можно разместить гостей в непосредственной близости. Для этого, наверное, и придумали совмещать кухню со столовой.

Разумеется, здесь важно деление на зоны: рабочую и обеденную. И это дает определенную пищу фантазии. Разграничить зоны и одновременно совместить их — задача не из легких. С одной стороны, разграничение должно быть четким, с другой — соответствовать общему стилю. Резкость перехода, конечно, возможна, но совсем не обязательна. Здесь можно поиграть с цветовыми решениями. Главное — не заиграться, и осуществить подбор цвета с умом.

Красный. Красный — это энергетически сильный, возбуждающий цвет. Предметы интерьера такого цвета потрясающе эффектны. Ярко-красный бархат и шелк смотрятся очень экзотично и театрально, а более мягкие оттенки красного — розовый и коралловый — выглядят гораздо тоньше, изысканнее и действуют успокаивающе.

Пурпурные и багряные оттенки, используемые в торжественных культовых церемониях и магии, вызывают чувство страха и трепета.

Красный цвет рождает как позитивные, так и негативные эмоции. В одних культурах это символ жизни и любви, в других – опасности. Красный цвет считается цветом вызова, цветом борьбы. Насыщенный, чистый красный подавляет другие цвета интерьера, если им покрыты большие плоскости, но вводимый дозированно, в виде отдельных цветовых пятен на стенах, в драпировке, на подушках, он поднимает настроение, дает заряд бодрости.

Далекое близкое барокко

Природная изысканность

Красный цвет делает объект визуально ближе, поэтому комната с красными стенами выглядит меньше. Красный лучше всего сочетается с ближайшими соседями с желтой стороны, поскольку они делят с ним его силу воздействия. Если хочется добиться контраста с металлами – выбирайте сочный цвет старинного золота.

Оттенки роскоши

Желтый. Цвет солнца обладает уникальной способностью компенсировать отсутствие естественного солнечного освещения, что делает его незаменимым в условиях серого, пасмурного климата. Желтый цвет полон тепла, радушия и как будто создан для украшения жилья. Желтые стены сами по себе излучают свет, они меняют всю атмосферу помещения, придавая ему особую теплую ауру. Желтый уместен почти в любом помещении. Исключением может считаться комната, в которой и без того достаточно тепло или утомительно жарко. В этом случае нужно «охладить цветом» помещение и не использовать в нем теплые тона вообще.

Желтый цвет может быть блеклым, как песок тончайших кремовых оттенков, а может быть смелым и пульсирующим, как солнце, и тоже иметь всевозможные оттенки. Бодрый ярко-жел-

Витражное волшебство

Стилевые тонкости

тый особенно хорош в кухне и в гостиной. Небольшие пятна холодного голубовато-серого или серовато-зеленого — прекрасные дополнительные цвета к ярко-желтому, а металлический серебристо-серый придает ему очень современное звучание. Сочетание зеленых и желтых тонов привносит в интерьер бодрый дух загородного дома.

Оранжевый. Мандариновый оттенок оранжевого — это цвет энергии, бодрости, молодости, он как бы младший брат желтого. Считается, что оранжевый колорит интерьера способствует уравновешенности и общительности, смягчает агрессивность. А посему такое цветовое решение будет уместным и в детской комнате (независимо от того, кто ее обитатель — мла-

Струящаяся грация

денец или подросток), и в кабинете. Впрочем, такой декор, выдержанный в соответствующем стиле, может быть применен в любом помещении дома.

Синий. Синее и белое – классическое цветовое сочетание для интерьеров, как правило, ассоциирующееся с загородными домиками и комнатами с окнами на море. Синий поглощает свет и создает ощущение удаленности. Он ассоциируется с умиротворенностью и спокойствием. В прошлом считалось, что он изгоняет злое начало.

Один из трех основных цветов, синий, имеет широкий спектр оттенков – от холодного бирюзового, тяготеющего к зеленому, до теплого розовато-лилового. У каждого из этих синих свое особенное настроение, что необходимо учитывать при отделке интерьера.

Так, яркая средиземноморская небесная лазурь – это апофеоз юности, раздолья и радости, а пасмурное серовато-синее шведское небо действует умиротворяюще и создает несколько меланхоличное настроение. Глубокий синий бархат или полосатый шелк придадут комнате элегантный вид, а замечательная клетчатая домотканая материя сразу же привнесет элемент стиля кантри.

Дополнительный к синему – оранжевый цвет, гармоничны также сочетания синего с уместным зеленым и фиолетовым.

Зеленый. Цвет жизни, цвет надежды, зеленый – один из основных цветов. Это спокойный, умиротворяющий цвет, с ним всегда хорошо. Считается, что зеленый способствует релаксации и

Персонаж интерьера

медитации, для чего, как известно, необходима сосредоточенность и отрешенность от внешнего мира. Однако подыскать зеленому цвету гармоничные оттенки для сочетания на самом деле не так легко.

Существует целая гамма оттенков зеленого: цвет листвы, сине-зеленый цвет, вызывающий ассоциации с океаном, сочные блики зеленоватого незрелого лимона, изумрудный. И если до недавнего вре-

Бежевый. Многим людям тяжело увидеть картину в целом. Когда приходится выбирать цветовую гамму, большинство не может себе представить большие цветовые плоскости и воздействие цвета на общий вид интерьера. Это касается не только штор, но и колеровки интерьера в целом. Поэтому большинство, как правило, предпочитает нейтральные тона, зная, что иметь с ними дело гораздо проще.

мени в оформлении интерьера использовались только бледные тона зеленого, то последние десять лет стали смелее использовать яркие оттенки, такие как яркий кислотный лимонно-зеленый цвет.

Зеленый прекрасно уживается с множеством других цветов – с нейтральным, если мы хотим спокойной умиротворенной гаммы, и желто-зеленым, если больше привлекает ультрасовременный колорит.

Полет модернизма

Кремовый, бежевый и серый цвета никогда не режут глаз и не выходят из моды, а небольшие цветовые акценты можно добавить яркой декоративной подушкой или покрывалом дополнительного цвета. Сочный желтовато-кремовый цвет был распространен в эпоху короля Эдуарда. Он придает интерьеру теплое, ностальгическое настроение.

Благодаря нейтральным тонам в одной комнате можно совместить несколько различных стилей.

Но не стоит забывать, что столовая – это не только цвет. Назначение столовой очевидно. Вот стул – на нем сидят, вот стол – за ним едят. Поэтому стоит поговорить отдельно именно об оформлении стола. А конкретно – о скатерти.

В прошлые времена, когда люди относились к жизни гораздо основательней нашего, для девушки из каждой мало-мальски хорошей семьи задолго до свадьбы готовилось приданое: шкафы и сундуки систематически наполнялись тщательно выделанным столовым и постельным бельем. Впоследствии это белье берегли, использовали только по праздникам и воскресеньям.

Сегодня, как и в те времена, хотя не все это знают, существует множество видов скатертей. Различия между ними прослеживаются как в материале, так и в назначении.

Скатерть – это основа всей композиции стола: фарфор, бокалы, ложки и вилки, свечи и цветы должны с ней гармонировать.

Позитивные традиции

Граница стилей

Классический материал для скатерти – лен и хлопок. Лен – добротная, плотная на ощупь ткань. Но очень мнущаяся. Поэтому сейчас в него очень часто добавляют хлопок или синтетическое волокно. Хлопок – наиболее часто употребляемая материя для скатертей.

Сегодня существует множество новых видов текстиля, которые вполне подходят для использования в качестве скатерти. Рулонные ткани в клетку или в полоску, материи с цветами или абстрактными рисунками. Диален, акрил, дралон, присеет – вот скатертные ткани нового поколения. Они, конечно, насквозь синтетичны, это минус, но не требуют особого ухода, и поэтому годятся для ежедневного употребления, это плюс.

Для скатерти могут подойти блестящие подкладочные ткани со множеством оттенков.

Все слышали выражение «камчатная скатерть». Этим словом называется льняная или хлопчатая скатерть с вытканным блестящим выпуклым узором. Такие скатерти по-прежнему служат для самого торжественного случая.

Также особая праздничность и ощущение роскоши создается при помощи скатертей,

Запах эпохи Возрождения

Готические контрасты

украшенных узорами в тон фарфору: либо набивными, либо вышитыми вручную.

Само наличие скатерти всегда является благом, но этого мало: выбор ткани должен еще и соответствовать поводу и цели застолья.

За разговором

Например, скатерти с узором в тон фарфору подходят к любому случаю. Пестрые набивные создают атмосферу радости на детских праздниках. В остальных случаях к ним следует относиться осторожно: всегда на них лучше ставить только однотонную посуду. Затейливо вышитые скатерти создадут нужную атмосферу на Рождество и Пасху.

Размеры скатерти должны соответствовать размерам стола: свободный край должен свешиваться на длину 15–25 сантиметров. Если нужно спрятать ножки или козлы самодельного стола, края скатерти могут свисать и больше. Если стол длинный, и используются две скатерти, их кладут так, чтобы стык не был виден от входа.

Под скатерть можно стелить подкладку. Делают ее из однотонной хлопчатой фланели, мальтона. Подкладка не должна морщить. С этой целью ее можно привязать к ножкам стола. Мальтон не только оберегает поверхность стола, но и предохраняет скатерть от растяжения, а также приглушает стук тарелок, вилок и ножей. Можно быть спокойным и за бокалы, которые имеют меньше шансов быть случайно разбитыми.

В последние годы появились специальные скатертные ткани, имеющие одновременно и свойства мальтона.

Лунные блики

Разложить скатерть на столе – не столь простое дело как может показаться. Есть правило и на этот случай. Чистую, аккуратно заутюженную скатерть раскладывают на фланели так, чтобы средняя заглаженная складка шла параллельно длинной стороне стола.

Рыцари круглого стола

Арочный арт-деко

Чтобы не утюжить дополнительно каждый раз перед тем, как использовать, нужно, складывая выстиранную скатерть на хранение, следить за тем, чтобы ее края совпадали.

В комплект столового белья, помимо основной скатерти, входят салфетки и небольшие, 90х90 сантиметров, скатерти-напероны. При выборе цвета скатерти нужно помнить о цвете

Музыка контрастов

имеющейся посуды, цветовой гамме помещения, в котором будет накрыт стол, а также (в идеале) соответствия скатерти шторному ансамблю. Кстати, обязательное соответствие скатерти шторам необходимо, когда скатерть используется для декоративных целей.

Но не стоит забывать, что столовая-кухня — не только комфортное место для оценки кулинарных изысков. Поэтому, помимо декоративного оформления, стоит отдельно поговорить об освещении. Можно много сказать об освещении в доме вообще и каждом его помещении в частности. Но есть универсальный способ рассказать об освещении на примере одного

В сердце света

СТОЛОВАЯ-КУХНЯ

Этнический мотив

помещения. От этого способа можно, так сказать, плясать дальше, варьируя только степень освещенности и декоративные элементы, присущие назначению каждой из комнат уютного дома. Этим приме- ром можно смело назвать освещение кухни. Почему именно кухни? При бытующем зачастую отношении к этому помещению как к вспо-

Красное и черное

могательному, хозяйственному, в нем, тем не менее, проходит весьма существенная часть нашей жизни. Каждой хозяйке приходится «наматывать километры» в этом пространстве, обеспечивая жизнедеятельность ее домочадцев. Именно для того, чтобы облегчить и оптимизировать этот процесс, кухня и должна быть наиболее технологичным, высокоорганизованным помещением любого дома.

Хорошо спланированное освещение вносит свой вклад в эффективность и безопасность кухни. Неважно, готовите ли вы сами, или за вас это делает прислуга: рано или поздно ваше присутствие в этом месте будет необходимо. Да и старая московская традиция кухонных чаепитий опять прочно утвердилась в модных тенденциях.

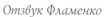

Отзвук Фламенко

Схема освещения должна обеспечивать не только хорошее общее освещение, но и освещение для специальных целей. Даже простые модификации, такие как ряд плоских светильников для высвечивания отдельной части рабочего стола, могут сделать работу на кухне более привлекательной.

Общее освещение – мягкий общий свет, распространяющийся на всю комнату. Общее освещение может быть обеспечено окнами или естественным потолочным освещением, осветительными приборами, установленными в центре потолка, или софитами по его периметру, свет которых направляется вверх и отражается от потолка.

Целенаправленное освещение – сильный поток света, сфокусированный в определенном направлении. Такие светильники часто располагаются непосредственно над раковиной, над зоной приготовления пищи и над зоной уборки. Особые зоны, такие как сектор выпечки или рабочие столы, требуют яркого, но не резкого освещения.

Количество необходимого общего освещения зависит от многих факторов, включая высоту потолков и цветовую гамму. Яркие тона отражают свет и требуют меньше общего освещения; темные тона поглощают свет и, разумеется, требуют большего освещения.

В течение дня основным источником света являются окна. Большие окна делают кухню просторнее и веселее, ее легче проветривать.

Непрямое освещение от установленных в центре потолка светильников может служить дополнением к внешнему освещению. Расположенные в софитах лампы накаливания, свет которых направлен вверх и отражается от потолка, обеспечивают мягкое, особенно красивое освещение.

Осветительные приборы, создающие целенаправленное освещение, дают сфокусированные, интенсивные лучи, которые можно направить на определенные участки рабочих зон. Примеры целенаправленного освещения – это скрытый нижний свет, подвесные светильники и плоские светильники, располагающиеся под шкафами. Эффективность можно обеспечить, установив отдельные переключатели для осветительных приборов каждой рабочей зоны.

Установленное на потолке целенаправленное освещение не позволяет эффективно осветить пространство под навесными шкафами. Решением может служить установка плоских светильников. Такие светильники, служащие специально для освещения пространства под шкафами, обычно имеют маленькую толщину, что позволяет сделать их наличие практически незаметным.

У каждого типа ламп есть свои преимущества. Освещение лампами накаливания имеет теплое свечение, которое усиливает желтые и красные цвета и оттеняет цвет кожи. Большое преимущество ламп в том, что для них можно установить переключатель, который позволяет регулировать силу света.

Лампы дневного света эффективны с точки зрения энергозатрат, а служат до двадцати раз дольше, чем лампы накаливания той же мощности, поэтому требуется меньшее количество светильников. Разработки в дизайне позволили сократить «период ожидания» – секундную паузу между нажатием кнопки переключателя и появлением света.

Галогеновые лампы обеспечивают мощное освещение, создаваемое небольшими по размеру осветительными приборами. Они до трех раз ярче, чем соответствующие лампы накаливания, и в два раза более долговечны. Их компактность позволяет устанавливать маленькие светильники, не создающие каких-либо препятствий.

Опять же помимо практического, свет может иметь и чисто декоративное назначение. Главное – не переусердствовать, чтобы не добиться обратного эффекта. Свет не должен бить в глаза с любого ракурса. Как и декор, освещение должно соответствовать «золотому правилу» – отсутствию раздражителей.

Андреас Энслин

Облик кухни меняется. С появлением минимализма происходит постепенный отказ от пластика и ламината в пользу натуральных материалов: дерева, камня, стали. Некоторые из нас хотят чувствовать себя профессионалами, и иметь дома холодильники и плиты, сделанные из нержавеющей стали. Кухню часто соединяют с гостиной, так что получается одна большая кухня-столовая, где вытяжка встроена в рабочую поверхность, а кран прячется в стене.

ДЕТСКАЯ-ИГРОВАЯ

Самым любимым

Если у взрослых людей, как правило, устоявшийся вкус и количество потребностей, то с детьми все обстоит иначе. Дети меняются каждый день. Они просто-напросто растут. И вырастают, как из распашонок, так и из традиционно детских интерьеров. Здесь необходимо некое универсальное решение. Обустройство детской комнаты, пожалуй, самое ответственное дело в создании интерьера дома. Ведь в детской комнате важно все: и декор, и функциональность. Создается индивидуальное пространство для ребенка, чей мир далек от мира взрослых. В этой комнате будет жить самое дорогое существо на свете, поэтому нужно приложить максимум усилий, чтобы ему здесь было уютно.

Установлено, что природные материалы положительно действуют на детскую психику. С младенчества и лет до десяти ребенок познает мир при помощи осязания-обоняния-зрения. Трогая, ощупывая, разглядывая кусок дерева, шишку, листочек, малыш получает большое количество информации об окружающем мире. А что поведают малышу стандартные и безликие пластиковые игрушки? Поэтому наряду с изделиями из полимерных материалов в комнате должны быть игрушки из натурального сырья — дерева, камня, различных тканей. В идеале детская комната должна быть обклеена экологичными обоями, декорирована натуральными тканями, обставлена почти необработанной мебелью натуральных цветов.

Бусины всех цветов и размеров

Минимализму с его пустыми пространствами и стериль-ными поверхностями в детской (по крайней мере до 10 лет) не место. Чем богаче и насыщеннее деталями окружающая ре-бенка среда, тем лучше. Многообразие предметов на полках в детской и в доме вообще, разнообразие фактур, тканей, цве-тов формирует способность к творчеству, развивает умственно и физически. Не стоит забывать, что весь этот разнообразный мир, подобно живому организму, должен постоянно меняться.

В детской, где обитает ребенок до десяти лет, обязательно должен быть уголок, где можно вволю побезобразничать — порисовать на стене, например. Однако если ребенок постарше по-прежнему раскрашивает мебель и рисует на стенах, значит, он протестует против родительских ценностей. Это тоже нормально — не надо паники.

Если в комнате подростка, особенно на стенах, которые обычно увешаны постерами, плакатами и т. п., преобладают резкие, контрастные сочетания цветов (особенно черно-белое), это говорит о его неустойчивом психическом состоянии. Красно-черные сочетания свидетельствуют о высоком уровне агрессии: если подросток при этом ведет себя вызывающе, это еще полбеды. Если же внешне он кажется спокойным, дело хуже — невыплеснутый негатив грозит болезнями, неврозами и прочими бедами.

Есть вещи, которые прямо-таки вопиют об опасности. Изображения молний, черепов, свастик на стенах — знак того, что борьба подростка с социальными нормативами взрослых уже перешла в патологию. Всевозможные монстры, агрессивные,

Веселый карниз

возбуждающие тревогу картинки, сцены насилия указывают на аффективное, неустойчивое состояние психики.

И хаос в комнате — вовсе не однозначная вещь. За ним могут крыться не только лень и несобранность, но и смятение чувств, растерянность перед жизнью, неосознанный конфликт с миром взрослых. На беспорядок следует особенно обратить внимание, если ваш прежде организованный ребенок вдруг начал разбрасывать вещи по комнате. Может, он безответно влюблен?

Но если подросток не привносит в интерьер ничего своего, это серьезный сигнал тревоги — ребенок уходит в себя. Скорее всего, он чувствует себя дома «не дома», ему там неуютно и некомфортно, что-то его пугает. Это часто бывает, когда у родите-

Игрушки-подушки

Птица счастья

Свежий контраст

лей не ладятся отношения между собой. Особенно опасный и очевидный симптом — заброшенная безликая комната без любимых вещей, но «ухоженный» компьютер. Истинный дом обитателя этой детской — в виртуальном пространстве, в интернетовских дебрях. А любая форма отгороженности от жизни чревата

Мое окошко

Игривая деталь

множеством серьезных проблем. Из них самые малые — инфантильность, неконтактность и неприспособленность к жизни.

Но ребенку, который цепляется за игрушки и вещи из раннего детства, скорее всего, тоже не очень комфортно в настоящем, поэтому он идеализирует прошлое. Ему кажется, что тогда его любили больше, предъявляли меньше требований. Когда в комнате пятнадцатилетней девочки по-прежнему царит одна только Барби, — это знак инфантильности, капитуляции перед наступающей взрослой жизнью.

Контроль, конечно, дело полезное и нужное, но в разумных пределах. Поэтому очень важно, чтобы ребенок сам принимал участие в оформлении интерьера детской и всего дома. Это поможет сблизиться, маленький человек поймет, что его мнение уважают, и сможет выразить себя через вещи.

По утверждению психологов и педагогов у детей до 7 лет восприятие окружения происходит чувственно, эмоционально. Это ключ к пониманию оформления детского интерьера.

Действительно, руководствуясь самыми профессиональными рекомендациями, можно создать множество рациональных и разных интерьеров. А для детей все они окажутся совершенно одинаковыми, утилитарно скучными, не позволяющими соединить реальность и сказку.

Самое главное – дать ребенку устроить и оборудовать комнату по своему вкусу и желанию.

Облака плывут из детства

И здесь есть место роскоши

Свободное пространство посредине комнаты для детей – одно из важных условий организации ее интерьера. В поиске вариантов размещения мебели не стоит увлекаться четким зонированием: дети играют везде, спят на кровати, а делают уроки за столом. Но иногда они делают все наоборот. Поэтому непременным условием является максимум свободного пространства. Мебель лучше расставить у стен, обеспечив место для игр и развлечений.

Плетем косички

Шторм отменяется

Вариантность интерьера детской комнаты должна удовлетворять требованиям периодического изменения обстановки, состава и размеров мебели с учетом потребностей развития детей. Особенность детской комнаты в том, что предъявляемые требования к ней постоянно меняются. За десять — пятнадцать лет маленькие дети становятся подростками. В соответствии с этим должен меняться и интерьер комнаты, характер мебели. Преимущество упрощенной мебели – многовариантность использования. Собранная из отдельных элементов она «растет» вместе с ребенком. Увеличение ее габаритов и усложнение достигается путем перекомпоновки, подсоединения дополнительных частей.

Детский рабочий уголок стоит оборудовать с учетом возраста ребенка, его наклонностей и характера. Необходимо, чтобы размеры мебели соответствовали возрасту. После двенадцати лет необходимость в специальной мебели отпадает, можно ис-

Выгляни в окошко...

Многовариантность

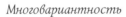

пользовать обычную. Дети в любом возрасте с увлечением рисуют, любят устраивать выставки своих рисунков. Деревянная рейка, прибитая к свободной стене, позволит легко крепить кнопками детские рисунки и аппликации. Для рисования мелками можно прикрепить специальную доску.

Как в сказке

Парту для занятий или столик для игр лучше размещать так, чтобы свет в дневное и вечернее время падал слева. Светильники должны быть рассеянного света с абажурами, подкрашенными снаружи в яркие тона. При выборе формы светильника и его местоположения около рабочего стола позаботьтесь о равномерном освещении.

Поболтать о том, о сем

Декоративность интерьера комнаты для детей, ее пространственное и цветовое решение являются исключением по сравнению со всеми остальными помещениями в доме. Общеизвестно влечение детей ко всему яркому и броскому – исходный момент в оформлении детской комнаты, в подборе цвета стен, мебели, тканей, сочетания их с яркими игрушками, плакатами, книгами. Детский интерьер в первую очередь должен быть интересным и занимательным. Он должен вызывать ассоциации, развивать воображение. Когда мы наблюдаем за детьми, сооружающими из кресел и пледа себе дом или играющими просто под столом, мы понимаем их стремление к необычному, сказочному пространству для игры.

Сценарии интерьера детской комнаты могут быть самыми разными. Осуществлять их легко, когда они учитывают интересы и увлечения детей.

А вот о функциональности стоит поговорить отдельно.

Пол. Часто в детских комнатах на полу можно увидеть ковровое покрытие с длинным ворсом. Насколько обоснован такой выбор? Действительно, пол в комнате ребенка, который сначала много спит, а вскоре — много ползает, чаще закрывают мягким ковром или ковролином. Однако опытным путем доказано, что дети лучше развиваются и быстрее начинают ходить, если передвигаются босиком по твердому покрытию (паркет или ламинат).

Отражение яркости

Окна. Декоратор советует для комнаты малыша джинсовые занавески с меховым ламбрекеном. Не слишком ли смело? К оформлению окна лучше подойти крайне осторожно. Это основной источник света в комнате ребенка, и он будет изучать его, стремиться к нему. Отдавайте предпочтение спокойным теплым тонам, натуральным тканям без рисунка.

Растем!

Оранжевый позитив

Если в комнате отсутствуют жалюзи, шторы не должны быть прозрачными, так как защищают спящее создание от яркого солнечного света. Не нужны и плотные тяжелые портьеры, которые слабо пропускают воздух и собирают пыль. Искусственный свет должен быть приглушенным. Люстра в шесть ламп — это чересчур для ребенка, который лежит лицом вверх. Локальное освещение куда лучше.

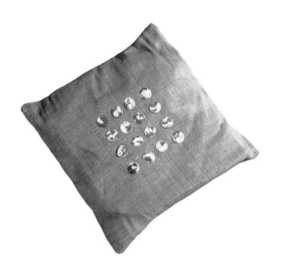

приветствуется лишь как дополнение к основным оттенкам. Стены не должны быть идеально гладкими: с помощью тактильных ощущений, через ладони и кончики пальцев, ребенок получает информацию об окружающем мире. Разная фактура стен приветствуется.

Цвет. Для девочки принято покупать все в розовых тонах, для мальчика — в голубых. Может, и в интерьере нужны цве-

Стены. Сейчас столько разных обоев, глаза разбегаются. Какие расцветки и фактуры выбрать? Стены должны быть покрыты обоями мягких тонов, не раздражающих зрение. Слишком яркие, как и темные цвета из декорации комнаты исключаются. Впрочем, лучше избежать и чистого белого цвета. Слишком светлый и яркий для ребенка, он

Экологичное оформление

товые различия? Цвет — это то, что способствует воспитанию настроений и эмоций, использовать его лучше по назначению. Ребенок начинает ощущать разницу между девочкой и мальчиком к трем годам. Но если в это время вдруг в детской поменять цвет штор с голубого на розовый (или наоборот), это может негативно сказаться на его состоянии. Интерьер комнаты девочки должен иметь характерные черты отличия от интерьера комнаты мальчика.

Психика ребенка и его самооценка зависят не только от его воспитания. Мироощущение маленького человечка во многом определяется тем пространством, в которое он попадает в первые годы своей жизни. Поэтому при оформлении детской комнаты пожелания родителей и советы дизайнеров стоят на втором месте после рекомен-

д아ций психологов и психотерапевтов. Именно эти специалисты настаивают на том, что детская комната — это не просто помещение в доме, созданное родителями для своих детей. Это пространство, в котором огромный мир взрослых преломляется и изменяется до размеров, понятных и удобных ребенку.

Психологи уверены, что при покупке любого предмета для детской комнаты недостаточно руководствоваться только лишь рассудочными доводами и чувством рационализма. Главный критерий здесь — «одушевленность» предмета, его соответствие детским ожиданиям.

С корабля на бал

Мишка-мишка, где штанишки?

Традиционно ребенок в детской комнате и спит, и играет, и учится. Три этих разных процесса должны спокойно и комфортно протекать в одном небольшом помещении, не вызывая у ребенка усталости и раздражения. Каждую из функциональных зон детской необходимо особым образом осветить и разграничить. Хорошо, если места для игры, учебы и сна будут выделены разным цветом стенового или напольного покрытия.

Однако следует помнить, что при любом из вариантов устройства детской комнаты функциональные зоны должны учитывать анатомическое строение тела ребенка. Ведь детская мебель значительно отличается от взрослой не только своими размерами, но и пропорциями. Поэтому предметы в детской должны иметь простую форму и крупные детали. В детской лучше избегать острых углов и выступающих деталей.

Создание в детской комнате уменьшенной копии взрослого мира — процесс естественный, увлекательный и веселый. Однако он не должен перерастать в навязчивую идею. Ребенок не вырастет инфантильным, если рано научится взаимодействовать с обычными стандартными предметами и спокойно жить в их окружении.

Ощущая заботу всей семьи, ребенок и сам должен заботиться о ком-либо. Поэтому элементом детской может стать аквариум с рыбками, корзинка или плетеный домик котенка, живые цветы на подоконнике или стеллаже.

Играем везде

Звездочка моя ясная

Не нужно спешить обставить детскую «взрослой» мебелью делая ставку на то, что ребенок рано или поздно вырастет, и хлопот с выбором и перестановкой будет меньше. Оформлять пространство нужно с точки зрения увлечения ребенка. Детская реальность существует не по тем же законам, что и взрослая. Детская комната должна быть хоть немного похожей на волшебную сказочную страну.

Кроме того, нельзя забывать и о таких факторах, как ориентация и освещенность помещения, цвет мебели, общее цветовое оформление дома. Гамма детской может быть реализована двумя основными приемами. Первый заключается в сочетании близких по тону неярких оттенков. Основные поверхности (стены, потолок, пол) — как можно светлее, а мебель — чуть темнее. Второй прием основан на гармоничном сочетании контрастных цветов. Самое главное, чтобы подобранная гамма создавала у ребенка ощущение уюта и тепла.

Вход для солнышка

Цвет мебели в детской комнате лучше сделать по возможности нейтральным. Ведь яркие игрушки или школьные принадлежности на цветном столе могут нервировать, отвлекать от занятий, мешать сосредоточиться.

Таким образом, детская комната — это мир, или даже множество миров, настоящий микрокосмос. Здесь ребенок не только спит, играет или стоит на голове — он познает жизнь, моделирует и разрешает для себя житейские ситуации. Собственная комната для ребенка — это его среда обитания, соразмерная его представлениям о мире людей, отвечающая по многим параметрам уровню его интеллекта, его душе. И войти в мир взрослых людей становится намного проще, находясь в благоприятном и гармоничном окружении.

Ну а если, положа руку на сердце, все-таки захочется дизайнерских «красивостей», всегда можно призвать на помощь текстиль. Не забывая советы психологов о выборе цвета и фактуры, можно оформить детскую стильно и интересно. В первую очередь можно поиграть с декором окна. Здесь выбор настолько велик, что запутаться довольно легко.

Попробуем теперь разобраться, из каких же элементов состоит декор окна. Это, прежде всего драпировка или портьера, затем ламбрекен и разнообразные аксессуары — подхваты, оборки, галуны, канты. В понятие «драпировка», в свою очередь, входят такие элементы, как сваш, жаботы, блинды и каскады.

Блинды — их еще называют «римскими шторами» — сделаны по принципу паруса. Ими можно оформить не только окно, но и перила лестницы. Кроме строгих «корабельных», которые можно шить из тяжелой и плотной ткани, существуют «воздушные» блинды, собирающиеся в пышные фестоны (еще их называют «русскими балунами»). В современных интерьерах часто встречаются раздвижные японские панели — прямые отрезы ткани, укрепленные на подвижных карнизах.

Жаботы – ниспадающие концы ткани, используются обычно в комплекте со свагами. Прекрасно демонстрируют достоинства подкладки. Именно при таком оформлении окна видны строгие переливы атласа, играющего в данном случае скромную роль подкладочного материала.

Каскад – ниспадающие зигзагом складки ткани.

Ламбрекен – тканевая или декоративная деревянная деталь драпировки окна, закрывающая собой карниз и петли. Ламбрекен с вышивкой изящно выглядит в сочетании с однотонной шторой. Особый шик – стеганый ламбрекен.

Перекид – драпировка круглого карниза тканью или кистями.

Подхват – приспособление, украшающее штору, позволяющее ее раздвигать и регулировать поток света. Обычно из ткани.

Сваг (фестон) – грациозная складка ткани, зафиксированная декоративно в двух концах над окном или кроватью. Непременный атрибут классического декора.

Французские шторы – пышные ниспадающие тюлевые драпировки с многократными складками.

Зная эти простые определения, довольно легко выплыть в море дизайнерских решений. Определив, по какому сценарию пойдет оформление детской комнаты, можно выбрать и текстильный мотив.

Если выбрать довольно популярный для детской «морской» стиль, текстильный декор будет состоять в большинстве своем из прямых линий и натуральных тканей. Римские шторы подойдут как нельзя лучше. А интерьер по типу «комната для принцессы» будет изобиловать совсем другими деталями. Здесь будут уместны и французские шторы, и каскад, и всевозможные ламбрекены с множеством декоративных деталей.

Полистать альбомы с предложениями дизайнеров можно вместе с ребенком, – пусть любимое чадо поможет решить сложную задачу оформления детской комнаты.

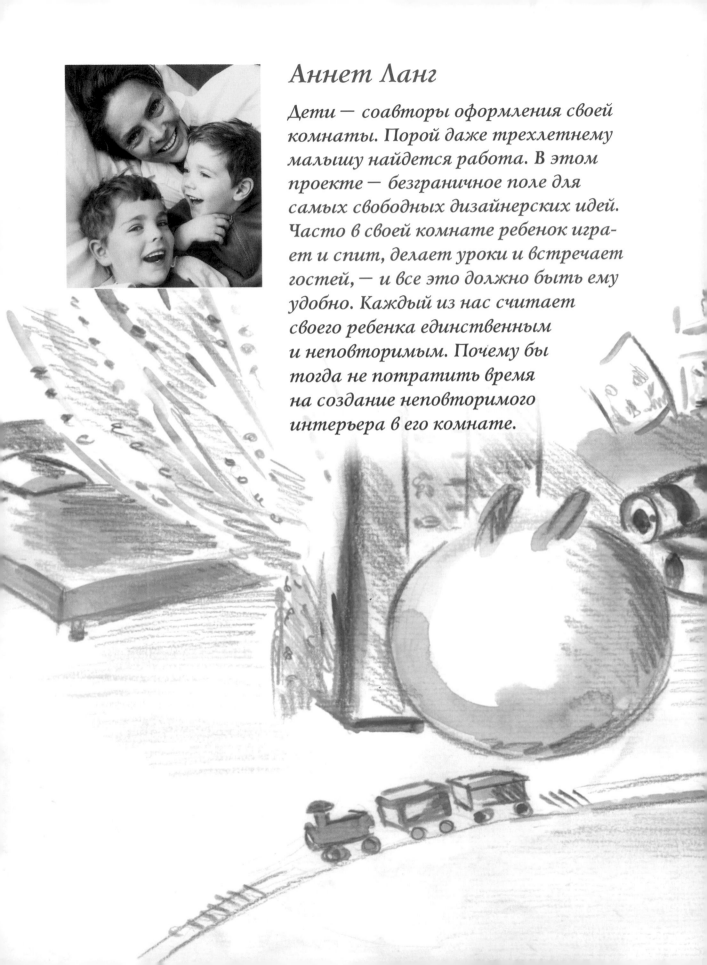

Аннет Ланг

Дети — соавторы оформления своей комнаты. Порой даже трехлетнему малышу найдется работа. В этом проекте — безграничное поле для самых свободных дизайнерских идей. Часто в своей комнате ребенок играет и спит, делает уроки и встречает гостей, — и все это должно быть ему удобно. Каждый из нас считает своего ребенка единственным и неповторимым. Почему бы тогда не потратить время на создание неповторимого интерьера в его комнате.

КОМНАТА ОТДЫХА

Домашняя релаксация

В отличие от гостиной, эта комната более приватна. Предназначена она для отдыха и ни для чего более. Как известно, отдыхать можно по-разному, поэтому в комнате отдыха должно присутствовать все, что необходимо для праздного (или активного) времяпровождения.

Столик для бриджа, бильярд, тренажеры и просто уютные диваны – вот далеко не полный список того, что может быть в комнате отдыха. Главное, как известно, не переборщить и удачно совместить в интерьере предметы досуга.

Есть и еще один немаловажный момент. Как правило, интерьерные решения дома (а комнаты отдыха – особенно) должны угождать вкусам нескольких его обитателей, а не только кого-то одного, ведь вкусы у всех разные, а дом один, и потребностей множество. И невооруженным глазом можно заметить разницу представлений об интерьере у мужчины и женщины.

О разнице психологии мужчин и женщин приходилось слышать не раз. Чем же отличаются интерьерные пристрастия у представителей сильной и слабой половин человечества? И как можно решить возможные проблемы? Можно ли объединить усилия и взгляды женщин и мужчин на обстановку в доме для создания поистине гармоничного интерьера?

О цвете. Женщины, как существа утонченные, всегда тянулись к нежным пастельным оттенкам. Розовый, голубой, бледно-фиолетовый – прелестные дымчатые нюансы способны передать ту неповторимую атмосферу легкости и таинственности, которая царит в комнате женщины.

Отдых на любой вкус

Мягкий свет

Мужчинам же такие цвета редко импонируют. Как правило, они придерживаются строгого функционального разделения цветов. Исходя из настроения будущей комнаты, они могут выбрать: синий, оранжевый, желтый – в «энергичную» комнату, белый – в «спокойную», коричневый – в «загадочную» и т. д.

О выборе стиля. Мужчины имеют свойство спорить с женщинами о стиле будущей комнаты. Особенно, если это касается комнаты отдыха. По большей части они либо консерваторы, либо – «модернисты-неформалы», отдающие

свои голоса за авторскую мебель, «чтобы было не как у всех». Поэтому женщинам зачастую приходится их «осаживать», спускать с небес на землю. В отношении стиля помещения женщина может дать более ценный совет, так как богатая фантазия позволяет ей видеть, как говорится, всю картинку целиком.

О мебели. Вот, наконец, мужчина и женщина подошли к выбору мебели для нового интерьера. Он принес свое любимое кресло-качалку, с которым не может рас-

Дань традиционному стилю

128

Природное сочетание цвета

статься, а она купила белый диван простой формы, о котором мечтала несколько лет. Выходом из этого сложного мебельного конфликта может быть современный светильник около кресла в тон дивану и уютный плед на диване, под стать старому креслу. Подобный компромиссный интерьер смотрится даже выигрышно.

Об аксессуарах. Здесь обычно надо останавливать женщин. Их неуемной страсти к рюшечкам, бантикам и статуэткам может противостоять только практичный мужской взгляд на вещи. «А куда ты это поставишь?», «А зачем нам еще три разноцветные подушки на диван?», «Ты в прошлом месяце купила точно такую же статуэтку...» – и так до бесконечности. Поэтому на поиски аксессуаров в комнату отдыха лучше отправиться вместе.

Самый лучший вариант – пойти за интерьерными покупками вместе, поскольку живое женское воображение рисует прекрасные идеи для новой обстановки, а мужской здравый смысл находит им достойное применение.

Отдельной темы заслуживают тренажеры. Это не мебель и не бытовая техника. Это не отнесешь к аксессуарам и предметам декора. Это вообще не домашняя атрибутика. Однако сейчас они все чаще становятся неотъемлемой частью интерьера.

Как ни странно, но в развитых странах, всегда поражавших нас повальным увлечением физкультурой, только десятая часть населения регулярно посещает фитнес-центры. В России вообще нет подобной статистики, но, по мнению специалистов, оценка ситуации даже в 1 процент может быть преувеличением. И наметившаяся сегодня тенденция к устройству мини-спортзалов в городских квартирах и загородных домах достойна всяческой похвалы.

Идем дальше. Помимо активного отдыха, как известно, существует и еще один вид досуга, весьма популярный, – ничего-неделанье за разговорами. Да-да. Просто удобно устроиться среди подушек и поболтать, как говорится, о культуре и искусстве. А интерьер комнаты отдыха вполне может дать пищу для таких разговоров. Особенно, если подойти к этому с фантазией и оформить комнату отдыха множеством интерьерных символов.

Сегодня все более актуальным становится так называемое этническое искусство.

Предметы мебели и бытовые аксессуары, сделанные в небольших мастерских экзотических стран (а чаще всего имитация таких вещей), медленно, но верно становятся привычными дизайнерскими атрибутами композиции интерьера.

На зеленом сукне...

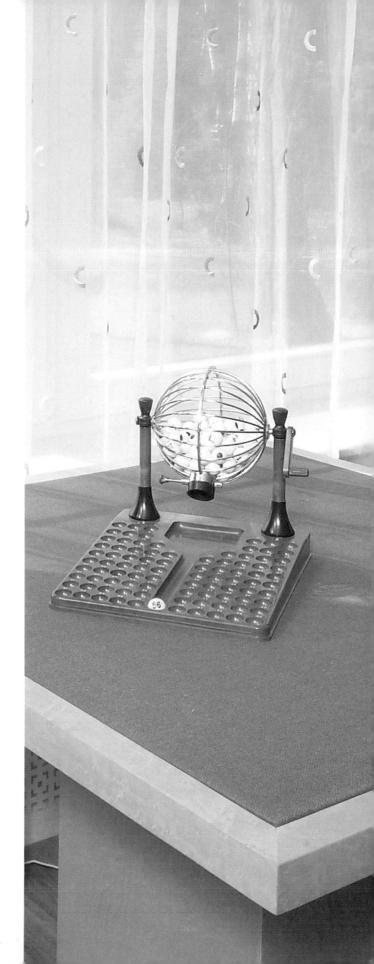

На всех парусах

Незамысловатые предметы из необработанных материалов, похожие на те, которые можно найти в отдаленных деревушках Африки и Востока, вносят в европейский интерьер столь дефицитное в наше время ощущение простоты и ясности, как будто связывая обитателей дома невидимой нитью с природой.

Характерные элементы орнамента этнических предметов – точка, штрих, узор шахматной доски, волнистые линии, круги и другие символические знаки (например, зигзаг – змея, крест – птица). Зачастую рождение того или иного орнамента обусловлено не конкретным замыслом, а свойством материала или техникой обработки, раскрывающей структуру предмета. Так, структурными орнаментами являются, к примеру, отпечатки пальцев на сосудах из глины или переплетения в виде шнурка.

Делайте ставки, господа!

КОМНАТА ОТДЫХА

Делу — время...

Культура деталей

Основа каждого орнамента – ритм, повторение одинаковых элементов. Следует обратить внимание на то, что этнический стиль дизайна и фольклорное его направление – это не одно и то же. Скажем, стихийный танец африканцев, которые танцуют саму природу, отличается от отточенной механической ирландской чечетки. Особенность этнического дизайна интерьера – в простоте и наивности использования

Шторный ансамбль

Домашние тропики

его элементов, в каждый из которых вкладывается частичка души. Предметы фольклорного искусства достаточно живописны, но лишены глубокого смысла.

Тема, скажем, Африки, может быть раскрыта в интерьере по-разному. Если у вас нет диванов из кожи мустанга или крокодила, то вполне подойдут покрывала с рисунком под леопарда или зебру. У пледа может быть оторочка из меха, а на диване небрежно разбросаны подушки, похожие на шкуры диких животных. К такому интерьеру как нельзя кстати придется стол со стеклянной столешницей и подставкой в виде хищника из красного дерева. Последней изюминкой станут звериные шкуры, расположенные на полу, а также сту-

Лето круглый год

лья, столики, светильники, раскрашенные под тигра, зебру или леопарда. Зеркало будет хорошо смотреться в рамке из бамбука.

«Африканский» интерьер лучше всего оформить в красках осенней палитры. Это землистые, излучающие свет оттенки и теплый основной тон.

В орнаменте могут присутствовать сливово-фиолетовый, пылающий оранжевый и кукурузно-желтый цвета. Контраст с осенними оттенками стен составит цвет светлой верблюжьей шерсти, в который можно окрасить пол и двери. Свежие нотки в окраске комнатных растений, темные породы древесины, картины на стенах, выдержанные в теплых приглушенных оливково-зеленых красках, резные

Зеленый — цвет надежды

Вместе не тесно

статуэтки, льняные и хлопчатобумажные ткани с этническим рисунком – вот мы и в Африке. И не забудьте про пробку, замечательный «подарок» жаркого континента. Этот модный на сегодняшний день отделочный материал обладает естественной фактурой, он экологичен. Пробкой часто декорируют стенки и дверцы шкафов, подоконники, спинки кроватей, рамы настенных панно.

На Востоке яркое сочетание красок символизирует не только материальное благополучие, но и те ценности, которые считаются незыблемыми. Так, желтый цвет обычно олицетворяет покой и уют, оранжевый – жизнерадостность и веселый нрав, красный – любовь и чувственность.

Смесь византийских, египетских, персидских и римских элементов лежала в основе возникновения своеобразного стиля,

Не только Африка дает пищу для размышлений об интерьере. Пойдем на Восток. Неисчерпаемые возможности для импровизации дает оформление в стиле сказок «Тысяча и одна ночь». Яркие, богатые краски, большое количество шелковых и бархатных тканей – такой декор пробуждает чувственность, создает ощущение изысканной роскоши.

Подушки? Обязательно!

Сундук со сказками

который европейцы назвали стилем сарацинов. Мусульманская вера запрещает изображение живых существ. Поэтому искусство ислама создало орнаменты, полные безудержной фантазии, с точным четким рисунком, использующим геометрические и растительные мотивы, арабески бесконечного разнообразия и сложной конструкции. Такие орнаменты возникли на базе арабского шрифта, изобилующего завитушками.

Старое золото всегда в моде

Еще одно направление восточного дизайна – так называемый мавританский стиль. Это исключительно декоративное искусство. Мавританский стиль достиг своего расцвета в XII–XIV веках в двух конечных пунктах огромной исламской империи – Индии и Испании.

Комфорт минимализма

Лестница к солнцу

Сегодня отдельные элементы такого дизайна находят место в современных европейских интерьерах. Покрытые орнаментом стены, похожие на роскошные персидские ковры, подковообразные арки, сталактитовые формы сводов, вышитые скатерти и портьеры создают ощущение гигантского шатра. Мебель в таком интерьере играет второстепенную роль. По восточному обычаю мусульмане сидят на коврах и подушках, а для сна вместо стандартных кроватей используют покрытые коврами и шелковыми тканями оттоманки. Вместо шкафов — стенные ниши с дверцами. Столы — низкие и маленькие, украшенные резьбой, круглой, четырех-, шести- и восьмиугольной формы. Столешницы часто выполняются из древесины с инкрустацией или чеканкой из меди. В восточном типе интерьеров широко используются сундуки, ширмы, банкетки, этажерки. Композиции со свечами станут дополнительным украшением комнаты, пространство которой выдержано в ориентальной стилистике.

В последнее время дизайнеры отмечают новый вектор движения интерьерной моды в сторону фантазии за счет скрытых резервов форм и моделей съемных чехлов. Текстиль особенно хорош тем, что позволяет сравнительно небольшими средствами и усилиями преобразить интерьер. Обстановка изменяется до неузнаваемости, когда на стулья или кресла надеваются яркие чехлы. Появляется предмет мебели стильный и элегантный. Эта дизайнерская идея бесспорно хороша не только для старых стульев. Она расширяет возможности новой мебели – можно не воспринимать дизайн обивки сиденья, предложенный производителем, как строгую данность, а изменять его, следуя собственным настроениям и пожеланиям, жизненным событиям, временам года, наконец.

«Одеть» можно стул любой конструкции и материала: с мягким и твердым сиденьем, прямой и изогнутой спинкой, с подлокотниками и без, из древесины, пластика или металла. В данном случае не важно, каков сам стул, главное, «чтоб костюмчик сидел». Ограничений по тканям тоже никаких, возможно все: веселенький ситец, спокойный лен, благородные бархат и велюр, экзотичных расцветок искусственные и натуральные мех и кожа, флок, шелк, кисея. Выбирая материал, следует учитывать некоторые особенности ткани: так же, как и обои, в магазине она может выглядеть по одному, а вот в комнате совсем по-другому. Тут поможет только природное чутье.

Задрапировав сиденья оригинальной, даже экзотической тканью, можно создать необычные вариации стильного оформления интерьера. Среди моделей чехлов интерьерных стульев можно найти решение не только для каждого человека, но и под любое настроение интерьера. Это и классика, и модерн, и восток, и хай-тек. В классической английской обстановке, например, стул имеет прямые линии и углы, а также обивку строгих цветов. Если применить пестрый ситец, подобрать соответствующие занавески и скатерти, –

Строгая эстетика Средневековья

это будет соответствовать модному стилю кантри, который провозглашает теплоту, уют и выразительность. В минима-листском интерьере строгое сдержанное решение хорошо дополнит общую аскетичную картину.

Звезда подиума - Hi-Tech

Текстильный дизайн – это единое стилевое решение, объединяющее, дополняющее и завершающее интерьер. Понятно, что нужно деликатно вписать обновленные текстильные предметы в существующий интерьер, не нарушая гармонии уже заложенного смысла, выгодно подчеркнуть достоинства вашего решения и придать интерьеру еще больший уют и теплоту.

Космическая Одиссея

Восток — дело тонкое

Если вдруг надоел унылый вид однообразных стульев, если хочется освежить интерьер, добавить к нему несколько оригинальных штрихов, то новые стильные чехлы — это как раз то, что нужно.

А теперь, поговорив о заполнении комнаты всевозможными предметами, нелишним будет сказать о... свободном пространстве. О стильном свободном пространстве. Такой вариант оформления комнаты отдыха тоже возможен — дело вкуса.

Периодически все мы поражаемся количеству ненужных вещей. Пока они совсем не вытеснили нас из собственного дома, стоит поскорее избавиться от лишнего хлама.

Обжитой дом складывается из тысячи случайностей и мелочей: нагромождение любимой мебели, куча милых безделушек и сувениров... Словом, каждый сантиметр жилого места занят уже ставшими родными вещами. Но иногда так хочется свободного и светлого пространства! В такие минуты понимаешь, что ты уже почти созрел для минимализма – стиля пустоты, воздуха и света.

Активней!

Некоторые скажут, что пустынное царство идеального порядка – это слишком скучно, слишком аскетично, слишком просто и неизящно. Что минималистический интерьер идеально подходит для больницы, гостиницы или офиса. Однако не стоит торопиться с такими утверждениями.

Несмотря на предельную лаконичность форм, простые правильные линии, полное отсутствие декора и ясность композиции, этот стиль может быть игривым и легким, как грибной дож-

Лед и пламень

КОМНАТА ОТДЫХА

158

На брудершафт

дик, таинственным и влекущим, как бескрайний океан, или бесконечным, как вселенная. Естественная простота является сущностью минималистического интерьера, к которой легко привыкнуть и которой трудно пресытиться.

В пространстве, реализованном в духе минимализма, все находится в гармонии, нет излишеств, нет ненужных деталей, а роль декора отводится людям. В нем категория красоты переходит в категорию пустоты, но пустоты стильной.

Интерьер может быть легким и свободным, но вмещающим в себя все необходимое для жизни. Для его создания больше всего подходят большие площади. Чем больше пространства, тем проще обозначить некоторые акцентные пятна.

Оптимальная цветовая гамма – светлые природные полутона. Фактура стен произвольная. Что касается мебели, то ее можно как бы растворить в пространстве, а можно акцентировать. Создается впечатление объемности, большого светлого пространства, где человек чувствует себя свободно и покойно.

Японцы считают, что самое прекрасное состояние – пустота и покой. Вот и живут они в своих маленьких и прекрасных в своем аскетизме квартирках. В японском доме вполне достаточно одного цветка, тогда как на Западе все заставляется огромными букетами. Единственная картина на стене смотрится вполне органично. Футон (традиционная японская кровать) по утрам свертывают и убирают во встроенный шкафчик (нишу, которая сливается со стенками). Еда подается на низком легком столике (хабузай), который без труда переносится на любое место или вообще убирается.

Попадая в традиционный японский дом, поначалу чувствуешь некий дискомфорт от незанятого пространства. И только потом, когда вы сидите на циновках в полумраке гостиной, вас охватывает какое-то удивительное чувство спокойствия и гармонии.

Минимализм не прощает ошибок. Поверхности должны быть безупречными, детали точными, а каждый предмет – хорошо спроектированным. Приходится ломать голову над тем, как в минимум мебели уместить максимум вещей. Здесь на помощь приходят встроенные шкафчики, которые в закрытом положении сливаются со стеной, не перегружая комнату.

Жилье в минималистическом духе очень привлекательно. Много света и простора. Предметы интерьера отличаются чистыми и лаконичными формами. У немногочисленных вещей свое место. И никаких собирателей пыли!

Дизайнеры, создающие минималистические интерьеры, считают, что стремление к чистоте и совершенству, тяга уйти от перегруженного вещами мира охватывает в какой-то момент любого из нас. Так может быть, этот момент настал сегодня?

В оформлении комнаты отдыха нужно выделить и еще один немаловажный момент. Скорее, функциональный, чем эстетический. Не забыть о карнизах! Карниз является вспомогательным, вторичным элементом шторной композиции. Карниз – часть модели штор, но его роль ни в коем случае нельзя преуменьшать. Плохо сочетающийся с обстановкой и шторами карниз воспринимается как ложка дегтя в банке меда.

Карнизы, как и шторы, подбираются к мебели. Классический вариант – когда к мебели из дерева покупают деревянный или выполненный из других материалов «под дерево» карниз, с набалдашниками и резьбой. Пользуются популярностью и багеты. Однако мебельная мода не стоит на месте. Уже появилась и пользуется спросом кованая мебель, и вместе с ней приходят кованые карнизы.

Другой новинкой моды можно считать арочные и эркерные карнизы. Их основное назначение – дать возможность хозяину арочных окон или эркера красиво оформить окна. Штора прикрепляется специальной липкой лентой, скрывающей сам карниз. В результате производится такое впечатление, что штора висит сама по себе и повторяет причудливые изгибы арочных окон. А посему очень важно, вспомнив про свои окна, не забыть про их «одежду».

Комната отдыха уникальна тем, что самим своим назначением предоставляет огромную возможность фантазировать в совмещении функциональности и декора.

Серж Оливарес

Дом, наполненный деталями, выглядит более живым, у него своя история. Главное — найти баланс и не переборщить с количеством цветов, деталей и стилей. Я одеваю любой предмет домашнего убранства. Банальный конусообразный абажур, если обтянуть его шелком и подбить птичьими перьями, превратит обычную комнату в таинственный и романтичный будуар.

СПАЛЬНЯ

Сладких снов!

А вот сюда посторонним вход запрещен! И ничего удивительного, ведь это спальня. Самое приватное помещение дома, скрытое от посторонних глаз. Степень защиты от чужих взглядов здесь в несколько раз выше, чем где бы то ни было. Спальня – не самое посещаемое место в доме, вход сюда доступен лишь избранным.

Любому живому существу – а человеку в особенности – важно обеспечить безопасность самых интимных моментов существования. Таких, как сон и секс. Спальня, как правило, для этого и существует. И речь идет не о безопасности как таковой, а о психологической защите. А существа беззащитней, чем заспанная женщина без макияжа и брони «хот-кутюр», сложно себе представить. Поэтому осознание того, что спальня скрыта от посторонних, необходимо как воздух. Это единственное место в доме, где человек может быть самим собой, не опасаясь осуждений.

Одним из самых необходимых дизайнерских изобретений для спальни можно назвать полог, скрывающий кровать. Многие считают это излишеством, но на самом деле это не так. Наличие прикроватного полога – осуществление все той же здравой мысли, – деления помещения на микрозоны. Разумеется, самую важную часть спальни, кровать, разумно было бы отделить от всего остального. Да и спать, отделившись от мира мягкими складками струящейся ткани, куда приятней.

Выбор же стиля для спальни – дело вкуса и пристрастий каждого. XX век (а тем более XXI) – время настолько демократичное в плане моды, что можно ничего не опасаться.

С позиции начала XXI века можно анализировать все основные этапы развития интерьерных стилей века двадцатого и делать определенные выводы. Каждое последнее десятилетие любого века подтверждает такую возможность: к окончанию XVI века ренессанс уже окончательно сложился как стиль; через столетие и барокко окончил свое разви-

За гранью дневного света

тие и стал бурно распространяться за пределы Италии; в 80-х годах XVIII столетия неоклассицизм вытеснил рококо и стал общеевропейским стилем, а к концу XIX века новые, быстро развивающиеся направления совершенно изгнали все исторические стили.

С начала XX века произошло разделение между «интегрирующим» и «накладываемым» подходами к интерьеру. Интегрирующий метод, когда интерьер неотделим от общей структу-

ры, а форма, фактуры, освещение, ткани, украшения подчи-
нены архитектурному образу, можно назвать архитектурным.
А накладываемый метод, когда оформление интерьера более
гибкое, легко изменяемое без вмешательства в архитектуру,
называется декорированием.

Многие архитекторы считают, что декорация интерьера
вообще не нужна, а декоратор – это что-то неприличное.

Не только сон

Свет и легкость

Разрыв между архитектурой дома и его интерьерной декорацией – феномен ХХ века. Лучшие интерьеры возникали в результате тесного сотрудничества архитекторов и ведущих художников. Эффект интерьеров гениев архитектуры классицизма – Браманте, Лево или Роберта Адама – зависел от способности мастеров воплотить их творческие идеи. Так было вплоть до конца XIX – начала ХХ века.

Дело в том, что именно в это время коренным образом изменилась структура строительных заказов. Если прежде существовало равновесие между строительством промышленных, общественных и офисных зданий и частных жилых домов, то с началом XX века роскошная архитектура стала в основном прерогативой банков, офисов и тому подобных общественных зданий. Огромные, замкового типа, загородные виллы, характерные для XVIII и XIX веков, частный заказчик теперь больше не строит. Имеется спрос на небольшие дома, возводимые по скромному типовому проекту.

Рубеж веков всегда несет некий мистический смысл. Но переход к последнему столетию второго тысячелетия – особый. В обществе преобладают декадентские настроения. Кажется, что вот сейчас, с началом отсчета нового временного периода наступит новая жизнь, сотворится некий новый мир удивительной гармонии. Все наполнено особым смыслом. В поэзии, драматургии, изобразительном искусстве в моде символизм. Особый интерес – к оформлению интерьеров, который подстегивают многочисленные издания, – книги, журналы. Стихают эклектические страсти, не удовлетворяет душный и прагматичный бидермеер, мощной волной взмывает и

Солнечный шлейф

захлестывает Европу чудный пластичный стиль модерн, получивший во Франции изящное название – ар-нуво. Русалки, лесные духи, стилизованные изображения зверей и птиц, феи и эльфы, извивающиеся, как водоросли, причудливые линии, мотивы распущенных женских волос в воде, орнаменты цветов с гибкими стеблями, ожившие сказки – это мир модерна. Кстати, если говорить об исторических параллелях, то сейчас, в современности, все это имеет повторение. И разговор о стилях прошлых столетий ведется не зря: возможно, зная о них больше, вы создадите гениальную композицию вашего дома, основанную на знаниях и идеях прошлого опыта дизайнеров и архитекторов.

Все стилистические решения в модерне основаны на нервной изогнутой линии, названной «ударом бича». Психологическая экспрессивность линии – главное, что занимает художников, архитекторов и дизайнеров. Кроме того, в 1870-х годах для Европы открылась традиционно закрытая, таинственная Япония. И многие приверженцы модерна черпают вдохновение в японском национальном искусстве. Заметьте, что и сейчас мода на Японию цветет буйным цветом.

Модерн характерен прежде всего для архитектуры и интерьеров маленьких частных особняков.

Уютная деталь

Здесь применяются новые принципы планировки, когда пространство свободно перетекает из одного помещения в другое, намечаемое перегородками и не сдерживаемое особо дверями. Не отсюда ли современная «студия» берет свое начало?

Микрокосмос

Модерн предпочитает ремесло и рукотворность, тонко играет с цветом и фактурой, и поэтому заставляет все привычные материалы обретать новый смысл. Многие дизайнеры почувствовали выразительность металла, дерева, гипса, декоративного камня, стекла и керамики именно в модерне. Не ленитесь провести временную параллель и вспомните о сегодняшней моде на натуральное дерево и кованую мебель!

Особенно импонирует модерну пластика ткани. Поэтому для дизайнера по шторам модерн останется навсегда одним из самых интересных стилей.

Пространство интимного шепота

Простые линии

Мягкие складки, перетекания драпировок, полутона и нежные пастельные цветовые сочетания позволяют дизайнеру создавать восхитительные шторные ансамбли. В контексте модерна можно воплотить самую смелую и необычную линию в форме жестких ламбрекенов; сложные переплетения перекидов также будут здесь уместны — они могут поддержать округлые, сложные формы интерьеров этого стиля. В рисунках тканей достаточно стилистически соответствующих модерну мотивов и в наши дни. Сегодня вообще прослеживается тенденция возврата интереса к модерну.

Перед сном

Этот интерьерный стиль далеко не исчерпал себя в течение XX века и предоставляет еще очень много возможностей для дизайнеров интерьера, в том числе и для дизайнеров по шторам.

Чуть позже, почти параллельно со взлетом модерна, в Европе появляется авангардизм. В отличие от искусства модернизма, также ориентированного на принципиальное новаторство формы и содержания, ценности авангардизма находятся в области прагматики. Смысл авангардистской позиции – в агрессивном воздействии на публику. Необходимо производить шок, скандал, эпатаж. Дадаизм, одно из направлений авангардизма, – это программный антиэстетизм. Если старые мастера несли на своих плечах груз заботы о гармонии, то авангардисты отбросили эту традицию ради свободы выражения.

Понятно, что как интерьерные стили, направлений авангардизма не могли быть реализованы, потому что архитектура не может существовать в отрыве от социальных функций, так как это очень созвучный эпохе вид искусства. Авангард – это конфликт со вкусами общества, а

Женственность и утонченность

архитектура, это прежде всего – социальный заказ. Тем не менее отражение авангарда в наши дни нашли в себе интерьеры некоторых ночных клубов и даже квартир, именуясь уже панк-искусством, тоже предполагающим конфликт со вкусами общества.

Манящее светлое

Но, как известно, стиль не определяет цвет. Разумеется, определившись со стилем, важно определиться и с цветовой гаммой, и с геометрией, то есть с использованием рисунков и узоров.

Зачем нужно сочетание цветов и почему человеку свойственно иметь пристрастие к какому-то определенному цвету? Да потому что зрение является одним из основных источников наших чувств, а зрение — это прежде всего — цвет, цветовосприятие, если уточнить. Цвет, или колер (как кому нравится), управляет психологическим состоянием человека и будит определенные эмоции. Поэтому цветовая гамма в интерьере очень важна. Нужно уметь пользоваться цветом, приручить и одомашнить его, чтобы мы управляли цветом, добиваясь запланированных эффектов, а не подвергались неосознанно его влиянию.

Но психология цвета — это еще не все дело, и даже не половина, а лишь только самое начало бесконечной науки постижения тайн бытия в его цветовом аспекте.

Композиция на основе одного цвета. Иначе она называется монохроматической. Здесь используется один цвет различной насыщенности и тона. Например, светлый и темно-синий.

Такую композицию легко разработать, она придает помещению ощущение покоя. Этот метод дает больше

Слияние стилей

разнообразия, чем можно предположить, хотя бы уже за счет изменения яркости цвета, причем как в светлых, так и в темных тонах. Выделение некоторых элементов нейтральными тонами делают комнату сбалансированной по цвету и интересной. Если применяется один цвет, можно смелее применять орнаменты, узоры, рисунки, как фактурные, так и графические.

Уместный контраст освещения

Европейская сдержанность декора...

В одном цвете можно создавать композиции как нежно успокаивающие, так и неистово яркие.

Здесь допустимо и приветствуется применение нейтрального цвета в качестве фона: серый или бежевый, который согласно некоторым источникам, также является нейтральным.

Выделены закономерности, согласно которым светлые элементы на фоне одного тона сильнее притягивают взгляд. Темные – тушуются, отступают на второй план. Значит, светлые предметы будут заметны, а темные менее броски.

Если в комнатах, находящихся рядом, использовать один цвет, пусть с разными текстурами и рисунками, это объединит комнаты.

Композиция на основе смежных цветов. Иначе она называется аналоговой композицией. Характеризуется двумя или тремя цветами, которые лежат на цветовом круге рядом. Например, синие, пурпурные и фиолетовые цвета образуют гармоничное сочетание, так же, как, например, различные оттенки теплого зеленого и желтого. Смежные светлые тона оказывают успокаивающее воздействие, а смежные темные придают комнате элегантный и строгий вид.

Чтобы комната, оформленная смежными цветами, не выглядела плоской, нужно выбрать один или два доминирующих цвета, которые следует использовать для наиболее важных весомых поверхностей и плоскостей в комнате. При помощи остальных оттенков можно сделать

жет доминировать в композиции, придавая комнате общий теплый или холодный тон. Композиции на основе дополнительных цветов также должны быть уравновешены и включать в себя нейтральные тона. Сначала следует решить, что наиболее желательно: чтобы комната имела общий светлый, или общий темный тон, использовать этот оттенок как основной, а затем выбрать акцентирующие дополнительные цвета. Например, удачная

несколько акцентов. Для других доминирующих элементов использовать нейтральные цвета. Такая композиция получится уравновешенной и глубокой.

Композиция на основе дополнительных цветов. Здесь используются противоположные на цветовом круге цвета. Например, желто-оранжевый и синий. Дополнительные цвета могут быть сбалансированы, либо один из них мо-

светлая композиция на основе дополнительных цветов может быть образована путем выбора бледных дополнительных и светлоокрашенных нейтральных тонов плюс более темные дополнительные штрихи.

Использование рисунков в интерьере. Рисунок – важный стилеобразующий элемент. Стоит использовать

Уютно днем и ночью

Рисунок как часть интерьера

обои с абстрактным узором – так сразу создается посыл к современному стилю. А мелкий цветочный рисунок задает более традиционный или деревенский стиль. В одной комнате может использоваться как один рисунок в разных вариациях, так и множество рисунков, объединенных цветом или стилем.

192

Обычно носителями рисунков в интерьере являются обивка мягкой мебели и обои. Но есть и более изысканный способ введения рисунка в интерьер: шторы, декоративные подушки или ковры.

Параллели

Текстильная гармония

Все узоры условно можно разделить на четыре группы: геометрические, крупные, мелкие и рисунки по всему полю, то есть сливающиеся.

Узор может задавать впечатление высоты или широкого пространства.

Понимание того, как визуально воспринимается каждый тип узоров, помогает добиться необходимого впечатления.

Крупные геометрические рисунки оказывают впечатление четкости и ритмичности, это возбуждает психические процессы. Их можно использовать дозированно, и тогда они придадут помещению неожиданную свежесть и шарм.

Небольшие геометрические рисунки оставляют более нежное, спокойное впечатление.

Геометрические узоры могут подчеркивать архитектурные особенности комнаты и даже скрывать ее изъяны, чего не могут остальные типы рисунков.

Геометрический узор создает оптические иллюзии. Вертикальные линии делают потолок выше, а горизонтальные заставляют высокие предметы казаться короче.

Теперь о крупных узорах. Цветы, плоды, овощи часто присутствуют на обоях и тканях с крупным рисунком. Они хороши и уместны там, где протекает интенсивная деятельность: в прихожей, на большой кухне, в комнате для игр или общей комнате.

В комнатах, предназначенных для отдыха, и в ванных такие рисунки не годятся, ибо слишком тонизируют.

Лучше использовать всего один тип крупного рисунка в одной комнате. Иначе они потеряют свое очарование, и помещение будет казаться перегруженным линиями.

И склонилось окно

Крупный рисунок, как и темные цвета, «наступает», приближается к зрителю, комната благодаря этому кажется более уютной и небольшой, объем смыкается.

Пугающе большую комнату можно сделать более притягательной именно при помощи крупного рисунка, и это безошибочный способ.

Подобно светлым оттенкам, мелкие узоры «удаляются», тесное помещение вследствие этого кажется больше размером и более свободным. Именно в этом причина популярности мелких рисунков в маленьких кухнях и ванных комнатах.

Мелкий же рисунок может быть уравновешен крупным, что всегда дает привлекательный результат. Например, мелкий рисунок на обоях хорошо сочетается с крупным на ковре. Или мелкий рисунок обоев и крупный на верхнем бордюре у потолка.

Сливающиеся узоры. Многим этот вид рисунка кажется наиболее привлекательным. Такой рисунок дает ощущение однородности. Рисунок минимизируется, и подчеркивается общий цвет.

Этот тип рисунка универсален и может использоваться без ограничений в любой комнате.

Сливающийся рисунок беспроигрышен. Он как бы дает гарантию своей уместности.

Можно использовать два вида сливающихся узоров в одной комнате, это добавляет своеобразие, спокойно вводит акцентированные цвета, связывает композицию в единое целое.

Последнее же веское слово в оформлении скажет все тот же текстиль. Умело подобранная ткань для окон; уютный свет, льющийся сквозь абажур настольной лампы; как бы невзначай накинутый на подлокотник кресла легкий плед; бабочка или стрекоза из переливающейся органзы сидит на гардине у самого карниза; мягкие недра дивана манят в нежную дремоту вышитых восточным орнаментом подушек... Текстильные детали, детальки и деталечки, без которых дом не может стать крепостью, поскольку чувство защищенности зависит не столько от замка на двери, сколько от возможности расслабиться и ощутить покой и уют.

Психологическая защита так же важна, как и физическая, в этом и есть смысл гармонии – сочетание и совместимость. В век высоких технологий и синдрома хронической усталости философия фэн-шуй не зря получила такое широкое распространение, поскольку ее основная направленность – гармония физического и психологического состояния человека в быту. Как мало-мальски обладающий музыкальным слухом человек отличит фальшивые ноты, так и каждый из нас будет ощущать дискомфорт, улавливая в поле зрения раздражающую деталь интерьера.

Поначалу это может казаться не столь важным. Бывает так, что от страстного желания приобрести что-то в дом, мы часто забываем о совместимости этого «что-то» с тем, что уже есть. Мы радуемся покупке, потом привыкаем, а затем не знаем, как избавиться, поскольку приобретение начинает раздражать. Здесь можно привести довольно распространенный пример: атласное постельное белье. С эстетической точки зрения – великолепно! Замечательно смотрится, навевает эротическое настроение, приятно на ощупь. А практически? Постоянно сползающее со спящего мужчины одеяло, пусть и облаченное в атлас, может вызвать шквал отнюдь не эротических эмоций. А виноват в этом его величество текстиль, деталь которого была подобрана неправильно. Здесь может возникнуть вопрос: неужели использовать атласное белье нельзя? Можно. Иногда. В том случае, когда эстетика и эротика превалируют над желанием выспаться.

Сердар Вураль

Интимный характер пространства спальни — это естественный штрих. Важно создать собственный мир снов с богатой фантазией и простором для хорошего самочувствия и отдыха. В кровать надо легко ложиться и так же легко вставать с нее. Портьеры также могут быть отправной точкой для спального интерьера. Колорит может быть светлым или темным, но спокойным по цветовой гамме.

ВАННАЯ КОМНАТА

Праздник для души и тела

Традиционно ванная комната считалась чисто функциональным и утилитарным помещением. Современные течения в дизайне постепенно привнесли в это представление нюансы, изменившие и эстетику ванной комнаты, которая все чаще приобретает утонченность и вычурность. Даже ватерклозет сейчас становится объектом дизайнерских изысков и не прячется, как бывало, подальше от людских глаз. Ванная комната все чаще становится эдаким укромным местечком, где можно отдохнуть и расслабиться, уединившись от всех.

Приобретя принципиально новую сантехнику и отделочные материалы, вы добьетесь отличных результатов, даже если не привнесете ничего нового в планировку. Однако если позволяют размеры помещения, в ванной комнате можно разместить красивую кушетку, обтянутую кожей, которая легко моется, а рядом с ней – небольшой пластиковый или стеклянный столик. Также можно сделать более объемный шкаф для хранения банных принадлежностей. Можно установить джакузи или ванну с гидромассажем, а в свободном углу оборудовать мини-спортзал с тренажерами, если в этом есть реальная потребность.

В последнее время многие предпочитают установку стационарной душевой кабины, пришедшей на смену традиционному душу с классическим гибким шлангом.

Ванная комната должна всегда быть готова к приему гостей и приспособлена к изменениям времен года: она должна быть прохладной летом и теплой зимой.

Еще не стоит забывать, что мы живем в трехмерном пространстве, чтобы потом не обнаружить с удивлением, что в душе мы не можем поднять руки, так как слишком узкое пространство не позволяет сделать этого.

Важным будет и освещение, так как электричество проводят до начала плиточных работ. Можно уйти от традиционной формы полной отделки ванной комнаты

Искра в пастельных тонах

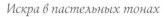

ВАННАЯ КОМНАТА

Роскошь рококо в палитре модерна

облицовочной плиткой и предпочесть более теплую отделку штукатуркой или окраску части стен.

Можно подумать также о мраморной отделке, заменяющей плиточную облицовку, что дает великолепные результаты в свете современной эстетики. Если предпочесть ванную комнату в более традиционном стиле, то облицовочная плитка будет самым подходящим материалом, только следует соблюдать меру, – при отделке плиткой под потолок ванная комната будет казаться тесной и чрезмерно перегруженной.

Пасторальный мотив

Выбор покрытия для пола в ванной комнате зависит от пользующегося ею количества людей и частоты, с которой они ее посещают. Паркетное покрытие может предложить очень теплое решение, но оно не обладает водостойкостью.

Очевидно, что использование светлых тонов придаст этому помещению приятное ощущение чистоты и свежести. Однако это не значит, что нужно избегать «теплых» материалов, таких, как дерево, которое после обработки водоотталкивающими средствами будет долго служить и радовать вас.

Непременная женственность

Для душа и души

Можно добавить ряд таких элементов, придающих ванной комнате индивидуальность, как, например, картину или гравюру в рамке или живые растения, которые создают нестандартную атмосферу, дополнительно усиливающуюся, если ванная имеет окно, связывающее ее с природой. Идеальным было бы естественное освещение для ванной комнаты, требующей как можно больше света.

Ванная несет не только функциональную нагрузку. К использованию ванной можно найти и другой, творческий, подход. Например, встретить в ванной Новый год.

Если пришла в голову идея встретить Новый год в собственной ванной комнате, пусть она не покажется ни безумием, ни шуткой. Разве что экстравагантной... Собственно, а почему бы и нет? Если ванная достаточно просторна, прекрасно оборудована и оформлена, а праздник хочется отметить вдвоем. Зажжены свечи, звучит любимое музыкальное произведение, на изящном столике экзотические фрукты, и вы поднимаете первый бокал искрящегося шампанского, не покидая теплой воды или завернувшись в мягкие, пушистые простыни...

Белизна керамики, огоньки свечей, отражающиеся в прозрачных флаконах, и маленькая елочка в углу. Романтичная атмосфера такой ночи будет вспоминаться долго...

Однако новогодняя ночь длинная, и, начав ее в ванне, можно продолжить праздник за столом. Естественно, не в махровом халате. Впрочем, вряд ли кто-то из нас сядет за новогодний стол, не приняв предварительно ванну или душ, а многие по сложившейся традиции и добрую порцию очищающего и целительного пара в домашней сауне или душевом комплексе. И все для того, чтобы встретить Новый год чистым душой и телом, возрожденным для любви и жизни...

Ванную комнату справедливо называют «звездными вратами». Не пройдя через них утром, трудно сосредоточиться на задачах трудового дня, подготовиться к выходу в большой мир, получить заряд энергии на день. Не пройдя через них ве-

Тонизирующий блеск хрома

ВАННАЯ КОМНАТА

чером, невозможно настроиться на расслабляющую волну домашней гавани.

Вода действительно имеет в жизни современного человека огромное эмоциональное значение. И это наложило и продолжает накладывать свой отпечаток на облик ванных комнат, который за последние годы существенно изменился. Они становятся все более важной частью жизненного пространства, выражением нового стиля жизни людей. А основной задачей современного дизайна является создание хорошего самочувствия пользователя и возможности с комфортом, с наслаждением расслабиться и отдохнуть.

Современный дизайн гениально сочетается с инновационными технологиями, санитарная техника становится все более изящной, тихой и гигиеничной, одновременно отличаясь неограниченными возможностями комбинирования.

Конечно, качество дизайна является неотъемлемой частью комфортабельности и уюта. Цвета, материалы, формы придают этому помещению особое очарование и неповторимость. Коллекции сантехнического оборудования и отделочные материалы позволяют реализовать самые фантастические мечты об идеальной ванной комнате.

Керамическая плитка – «звезда» ванных комнат. Какие цвета, текстуры и размеры! В моде «штучность», коллекционный декор, изысканный и индивидуальный, оригинальная фактура. Разнообразие гаммы дизайнов и стилей помогает создавать авторские ванные.

Фактура цвета

Современная ванная комната и по форме, и по содержанию — это оазис релаксации, наслаждение для души и тела. Конец XX века возвел ванную в культ, превратив в настоящий храм гигиены. Беззвучные гидромассажные ванны, мини-бассейны, инновационные пародушевые кабины самых различных форм и цветов, арома-, хромо- и музыкальная терапия, прекрасная мебель, сантехническая арматура и аксессуары...

Купаться в музыке, превратив ванную комнату в концертный зал, — эта гениальная идея стала реальностью. Специальная стереосистема обеспечивает равномерное проникновение заполняющих все водное пространство звуковых вибраций. Начиная с восьми предварительно запрограммированных массажных эффектов и шести звуковых фонов и кончая возможностью прослушивания любимых мелодий путем подключения к усилителю этого уникаль-

Rustico — в народном стиле

ВАННАЯ КОМНАТА

Свет мой, зеркальце...

ного изделия своей Hi-Fi-системы. Каждый из предварительно заданных звуковых фонов можно легко выбрать одним нажатием кнопки. Таким образом, принимая ванну, можно наслаждаться шумом прибоя, щебетом птиц и другими эффектами. Каждый может выбрать индивидуальную программу в зависимости от настроения и самочувствия и получить максимально расслабляющий эффект. Отдавая себя массажу, от легкого и нежного до значительного импульсного, сопровождаемого соответствующими ему водными вибрациями, человек переносится в новый, экзотический мир неповторимого удовольствия.

Вряд ли за этими достижениями последует пауза. Мировые производители сантехнического оборудования для ванных комнат все дальше и дальше уходят от производства просто умывальников, унитазов, ванн, смесителей, полочек с зеркалами или отдельных элементов мебели. Утилитарные предметы превращаются в гармоничную согласованность всех элементов, а ванные – в настоящие комнаты отдыха...

Уголок релаксации

Ламбрекен как дань стилю

Над их концепцией работают всемирно известные дизайнеры, привнося самые модные идеи, новейшие материалы и передовые технологии. Не только эксклюзивные коллекции из области высокой моды, но и менее дорогие, продуманные и сочетаемые друг с другом программы сантехники, арматуры, аксессуаров и мебели открывают широкие перспективы для создания персонализированных интерьеров. А идей для создания таких интерьеров множество.

Ванные комнаты, как и гостиные, столовые, спальни, не обошла стороной мода ни на минимализм, ни на «состаренные вещи».

Строгие линии, утилитарность, возведенная в эстетический принцип, сдержанность и рациональность интерьеров, навеянных воспоминаниями о Стране Восходящего Солнца; экстравагантность авангардных интерьеров, оставляющая ощущение виртуальной реальности; романтичное ретро; интерьеры, в которых правит бал Ее Высочество Геометрия; ванные, сохранившие атмосферу старого загородного дома, Средиземноморья, английские традиции...

Скрытые же системы инсталляции и современные способы монтажа позволяют убрать всю закулисную техническую часть в стены, если только открытые трубы и сифоны не являются дизайнерским замыслом. А легкая подвесная ме-

Оформление в деталях

бель и сантехника делают помещение не только воздушным, но и более гигиеничным.

Найден и секрет идеальной чистоты. Хотя на первый взгляд это может показаться чудом. Теперь можно приобрести сантехнику с грязеотталкивающей поверхностью, которая остается чистой без малейших усилий.

Подобно утренней росинке или дождинке на листе, вода сама себя собирает на поверхности фарфора в полные капли, которые скатываются и могут быть вытерты без каких-либо усилий.

Но и это еще не все! Усовершенствованная керамическая глазурь, значительно более гигиеничная, чем обыкновенная, самостоятельно предотвращает размножение бактерий.

Современные системы вентилирования делают влажное помещение сухим и свежим, а теплые полы только усиливают ощущение комфорта.

Что же касается меблировки, то она способна превратить ванную в дворцовые апартаменты.

Современный рынок предлагает взыскательному клиенту большой выбор предметов мебели, предназначенных как для хранения, так и для украшения. Шкафчики над и под раковину, превращающие умывальную зону в отдельное архитектурное целое, угловые шкафы-стойки,

Реставрационная мастерская небывалых ощущений

куда можно спрятать хозяйственные мелочи, чтобы не нарушать эстетику интерьера, служащего для удовольствия, открытые полки, которые можно украсить не только зубными щетками, но и флаконами, морскими раковинами и звездами, зеркала разных форм и размеров. В таком интерьере тумбочка на колесиках легко превращается в сервировочный столик.

Отделочные материалы — натуральный камень, плитка, стекло, дерево, металл, композитные материалы, пластик — гармонируют с совершенными формами и цветом сантехнических приборов, выполненных из сырья самого высокого качества, с безукоризненно обработанными поверхностями.

Прикосновение к природе

Элегантная простота

Наряду с привычной глазурованной плиткой, плиткой из стекла, керамогранитом, модным тераццо (цементом с вкраплениями гальки), в ванную комнату вновь возвращается дерево, наполняя ее своей теплой, живой красотой. В классических интерьерах появляются шкафы с резным декором, витражами, разнообразные туалетные столики с точеными ножками, витринки для безделушек, мягкая мебель, ковры, люстры, бра и торшеры, пол покрывается ковром, а на стенах, удаленных от воды, — обои и ткани, особенно, когда воспроизводится один из исторических стилей. Дерево становится составной частью и минималистских интерьеров, а современная технология обработки позволяет делать из него не только мебель, но и раковины, ванны.

Ничто так не облагораживает ванный быт, как мраморные поверхности, привнося в него ощущение надежности и поистине царское великолепие. Красота и блеск отполированного камня особенно празднично смотрятся в больших пространствах, наполненных светом и зеркалами, в сочетании с мебелью светлых тонов.

Однако комфорт и эстетика ванной комнаты зависят не только от наличия в ней современного сантехнического оборудования, модных отделочных материалов и стильных аксессуаров. Не менее важно, как пространство организовано, как расположены и связаны между собой предметы. Существует немало интересных композиционных решений, с помощью которых можно получить интерьер для удовольствия, грамотно показать, что в ванной комнате всему есть место, и место это не случайное.

Стремясь создать красивое, удобное пространство, архитектор или дизайнер что-то акцентирует, что-то отводит на второй план, группирует вокруг главного объекта. Нередко в большой совмещенной ванной комнате унитаз и биде отгораживаются. Ниша, арка, купол потолка, не-

Ничего лишнего

Функциональность в стилевом исполнении

большая перегородка, выступ стены, пилоны, колонна, в которую, между прочим, тоже можно спрятать трубы, помогут сделать пребывание в любой зоне ванной комнаты комфортным и эстетичным.

Одно из интересных и современных решений – ванна, вмонтированная в подиум, который зачастую становится не только функциональной неизбежностью (в него прячутся разводки, технический блок гидромассажной

Для комфорта и кокетства

ванны), но и придает определенный колорит, создает сложность в простом интерьере, делит ванну на будничную зону и зону релаксации. И конечно, в такой зоне не место унитазам, писсуарам и биде, а также туалетным ершикам, даже если они и дизайнерские.

Люди давно пользуются цветом для создания определенного настроения. Смесители всех оттенков дали дополнительный творческий импульс дизайнерам.

И вот тогда почему бы и не смоделировать ситуацию, о которой и шла речь? Вы в ванне, вписанной в альков, одни или вдвоем, в руках бокал шампанского или стакан сока, в вазе цветы, тихая музыка уводит в мир грез и приятных воспоминаний... Поверьте, для этого совсем не нужно ждать Нового года. Минуты наслаждения теплом, водой, уединением можно позволить в любой вечер, особенно холодный зимний.

Главным источником наслаждения в ванной комнате, безусловно, является гидромассаж в образе ванны или душе-

Романтичный флер

вого оазиса. Десять—пятнадцать лет назад трудно было даже вообразить себе, что принятие ванны может принести столько удовольствия, что вода обладает такими волшебными свойствами, и что все это может быть дома. Гидромассаж — настоящий праздник ощущений, независимо от того, используется ли он как терапия или как весьма заслуженная награда телу против стресса, для улучшения кровообращения,

Приятные мелочи

отдыха ума и тела. Разве можно, наслаждаясь теплой водой и мощным гидромассажем SPA, пытаться выяснять отношения друг с другом?.. SPA поможет отвлечься от повседневных забот и обрести гармонию отношений всех членов семьи, может стать местом сбора всей семьи, приема друзей.

Чтобы рассказать об уникальных возможностях современных гидромассажных ванн, SPA и кабин, об их дизайне, пришлось бы написать диссертацию. Ведь не зря же называют гидромассаж социально-культурным явлением XX века. В этом ряду и сложные гидромассажно-паровые комплексы — полный набор функций для расслабления, оздоровления и развлечения, оснащенный радио и телефоном, — а также «пришельцы из космоса» — душевые панели и фантастические колонны. «Водновоздушный коктейль», «Ниагара в миниатюре», «тропический ливень», «теплый летний дождь», «водная феерия», «двойная мечта», «эффект шампанского»... Это все о гидромассаже. Мини-бассейн дома — тоже из области снов, ставших явью. Маленькую роскошь можно разделить с семьей, даже если она большая.

...Праздник сменяет череда буден. Хорошо, что есть вода — панацея от усталости и напряжения, негативных эмоций, — хорошо, что есть удивительный и уникальный мир ванных комнат, в которых при желании можно даже встречать Новый год.

Вне времени

И напоследок, еще немного о функциональности ванной. Стоит поговорить о такой прозаической вещи, как шторки. Шторка для ванны — приспособление довольно удобное и практичное. И если даже вы утверждаете, что во время водных процедур ни одна капля воды не попадает на пол, подумайте — а зачем так стараться? Может, проще приобрести надежную защиту?

Сегодня под фразой «шторка для ванны» подразумевают не только полиэтиленовые занавески, которые по-прежнему у многих в почете, но и более продвинутые аналоги.

Главная задача шторок для ванной — не допустить попадания воды на пол. Однако правильно подобранное изделие сможет не только выполнять свою непосредственную функцию, но и стать прекрасным дополнением любой ванной комнаты.

Практически в каждом магазине предложат не один вид шторок. В первую очередь, они отличаются материалом изготовления. Самыми ходовыми почему-то остаются полиэтиленовые. Но существует масса других материалов. В зависимости от общего стиля ванной: шторки могут быть любыми — от шелковых до холщовых.

Шторки для ванны могут быть стационарными, то есть представлять собой неподвижно закрепленную стенку, а могут регулироваться. Во втором случае их можно просто сложить, когда необходимо больше свободного места. Как правило, в этом случае они состоят из нескольких секций. Их количество напрямую зависит от размеров ванны. Однако возможен комбинированный вариант открывания.

В этом случае одна часть ширмы является стационарной, а вторая подвижной. Соединены они шарниром. Шторки, которыми комплектуются душевые кабины, могут быть как распашными, так и раздвижными. Причем некоторые «двери» можно развернуть на 180° и получить левый или правый вариант входа. Можно обыграть не только способ открывания, но и форму створок.

Раздумывая над дизайном ванной комнаты, все мы приходим к выводу, что она в первую очередь должна быть модной и красивой, комфортной и практичной в использовании. И, помимо всего прочего, все, что в ней находится, не должно портиться от влаги и пара, которые являются непременными составляющими этого помещения. Другими словами, обстановка должна быть и красивой, и удобной, а материалы — долговечными.

Большое разнообразие отделочных материалов — плитка, стекломасса, мрамор, дерево, обожженная глина и многое другое и воистину огромный выбор сантехники и аксессуаров дают широкие дизайнерские возможности и позволяют создавать действительно комфортабельные ванные комнаты. Единственное, что следует соблюдать при разработке обустройства ванной — это стилистическую концепцию интерьера дома в целом или же той зоны, в которой находится ванная комната. Однако если вдруг появилась тяга к контрастам и ярким вспышкам цвета на фоне однотонного оформления, ограничений быть не может.

Приступая к обустройству ванной комнаты, имеет смысл решить, что бы хотелось получить в результате. Что касается антуража, то сам стиль ванной может быть как пышно-парадным в духе времен «короля-солнце» Людовика XIV, так и изысканно-интимным, под стать знаменитым древнеримским банным убранствам. Все зависит от вашего вкуса и мироощущения домочадцев.

Торд Бунтье

Гламурная ванна может быть выполнена в стиле «Belle Epoque». Для создания томно-богемной атмосферы задрапируйте проходы шелком и развесьте зеркала. Обратите внимание, что в моде кружева, тем более, что эти удивительные узоры лучше всего выглядят на фоне современных технологий.

Оксана Робски

GLAMУРНЫЙ ДОМ

Издание для досуга

Ответственный за выпуск Т. Кулькова
Редактор Т. Логушко
Художественные редакторы И. Васильев, А. Гладышев
Младший редактор Е. Игнатова
Компьютерная верстка Эжен-Поль Кашен
Сканирование и обработка иллюстраций В. Фролова
Корректор Н. Беляева

Подписано в печать 07.08.06.
Формат 84х108 1/16. Гарнитура Freeset, Lazurski. Бумага мелованная.
Печать офсетная. Усл. печ. л. 25,2.
Тираж 15 000 экз. Изд. № 06−8141. Заказ № 4616.

ЗАО «ОЛМА Медиа Групп»
129075, Москва, Звездный бульвар, 23

Отпечатано с готовых диапозитивов
в полиграфической фирме «Красный пролетарий»
127473, Москва, Краснопролетарская, 16